JN029906

費用ゼロではじめる

中小製造業のためのWeb販売完全読本

酒井雅志
SAKAI MASASHI

幻冬舎MC

費用ゼロではじめる

中小製造業のための Web販売完全読本

はじめに

中小製造業を取り巻く環境は、以前にも増して厳しくなっています。

慢性的な人材不足、原材料や燃料の高騰、急速な発展を続けるデジタル技術への対応など解決すべき経営課題が多く、先行きの見えない状況です。なかでもB to B中小製造業では特定の取引先への依存度が高いケースも多く見られ、業績の悪化などで取引先が離れてしまうリスクに備えて、新規の取引先を獲得することが課題となっています。しかし、人材や資金などに余力がない状態での新規開拓は容易ではありません。

こうしたなか、近年は新規顧客や多様な販路を求めてECサイト運営に乗り出す企業が増えており、EC市場が拡大しています。経済産業省の電子商取引に関する市場調査（2023年）によると、B to BのEC市場規模は420.2兆円で、前年比12.8％増となっており、多くのB to B企業にとってECが重要な販路となっていることがうかがえます。

中小企業ではデジタル人材の確保が難しいことなどからECサイト展開に消極的な経営者も少なくありません。しかし、ECサイト運営を軌道に乗せていくことができれば、販路拡大やマーケティング活動を大きく進展させ、会社の経営を支える基盤になることは間違いありません。

私は2013年に母から印刷会社を継承し、当時存続の危機に瀕していた会社をECサイトによって復活させることができました。まだ前例があまりないなかでの挑戦となり、当初は手探りの状態でしたが、発想の転換ともちまえのチャレンジ精神でプリンター用紙販売の専門サイトをつくり、V字回復の道を開いたのです。

もともとは、父がビジネスコンサルティング会社として創業後、システム会計伝票の販売を始め、自社工場を建ててからは一貫して伝票帳票類の自社製造・印刷製本・販売を行ってきた会社です。そのため折からのペーパーレス化の流れで伝票印刷の需要が激減し、業績は悪化の一途をたどっていました。

このままでは倒産し、社員共々路頭に迷うことになる――。そんなとき、印刷しない「用紙」の需要があることを知り、ECサイトで販売することを思いつきました。印刷の工賃がないので売上は大きくなりにくいのですが、ECサイトで販売するのであれば広範囲での販路拡大が期待できます。もしこうしたECサイトのメリットを活かすことができれば、新規顧客を開拓し、行き詰まった経営状況を打破するための突破口になるのではないかと期待したのです。

そこで在庫として会社の倉庫に眠っていたミシン目入り用紙や伝票の用紙などを全国に向けてオンライン販売する「用紙専門」のインターネット販売サイトを立ち上げました。

当時はECサイトの知識もノウハウもゼロからのスタートで、資金難だったため外注することもできませんでした。一から独学でECサイトを構築したものの、ネット販売における戦略などはなく、ただ自分がなんとかしなければという必死の思いと、挑戦を続ければきっと結果につながるという信念を支えに取り組み、改善を続けたのです。

最初の売上は翌月に出た50万円です。これは少額ながら私にとってとても大きな救いでした。ECサイトはすぐに入金されるため、従来の掛け取引に比べ資金繰りがスムーズです。結局、この50万円の売上が転機となって、会社を成長させていく道が開けました。

もう一つ、EC販売を始めたことで商品の評価や感想がエンドユーザーから直接届くようになり、この声をもとに商品展開できたことも成長につながりました。新商品がユーザーから喜ばれて新たな売上につながるという好循環が生まれ、今では販売アイテム数は800種類、顧客数は4万5000社という規模にまで発展させることができました。

窮地からはい上がろうと挑戦し必死で学んだ経験は、その後の経営やECサイト運営でも私を支え、可能性を広げてくれています。

本書では、私が自社の改革で実践してきた「新規受注を増やすECサイト」構築の方法を解説します。「ECサイトの構築は難しそう」「何から手を付けていいのか分からない」といった経営者にも分かるよう、図や写真を使ってできる限りポイントを絞って解説しています。

本書を通じて、中小製造業における事業の継続や売上の向上に悩んでいる経営者にとって、新たな一歩を踏み出すための助けになれば幸いです。

Contents

Chapter 2

Webの予備知識がなくても問題なし！費用ゼロではじめるECサイトのつくりかた

Chapter 3

構築したECサイトで確実に新規受注を獲得する！ニッチな商材を売り込むための勝ちパターン

Chapter 4

データ解析で運用と改善を繰り返す PDCAを回して売れるECサイトに育て上げる

Chapter 1

ニッチな商材が驚くほど売れる！
中小製造業が
ECサイトをはじめるべき理由

01 中小製造業を取り巻く厳しい現状

二極化する日本経済

2024年2月22日、日経平均株価はバブル期の1989年12月29日につけた終値としての史上最高値を更新し、3万9098円まで上昇しました。これは、実に34年ぶりの高値更新でした（日本経済新聞2024年2月22日「日経平均、終値3万9098円 34年ぶり最高値更新」）。しかしこのような盛り上がりを見せているのは上場企業を含むグローバル企業であり、中小企業はコロナ禍以降厳しい状況が続いています。

2024年1月17日発表の中小企業庁の倒産データによると、2023年の全国の中小企業の倒産件数は8690件で、前年比35.1％増、負債総額は2兆4026億4500万円となっています。特に中小企業の多くは原材料費の高騰や円安による影響、人件費の上昇で利益が目減りし、経営が立ち行かなくなってきています。実際に2022年から企業倒産数は2年連続で増加し、4年ぶりに8000件台に達しています。

このように大企業を中心に業績の回復や賃上げといったデフレ脱却の兆しがあるものの、日本の経済を支えている中小企業は引き続き厳しい状態にあるのです。

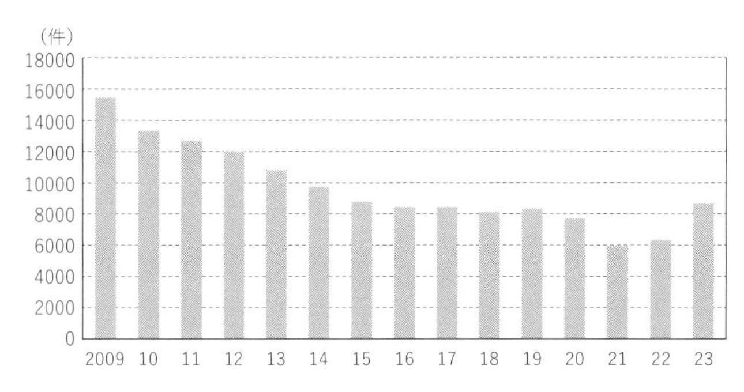

出典：東京商工リサーチ「全国企業倒産状況」

利益減少に苦しむ中小製造業

中小製造業も多くの中小企業と同様に利益の減少に直面し厳しい状況に追い詰められています。中小製造業とは、従業員数が300人以下、または資本金が3億円以下の製造業を指します。中小製造業は日本の製造業全体の約99％を占めているといわれており、今もなお日本経済の基盤となる産業です。

しかし、その中小製造業のほとんどは大企業の下請けであり、長年の取引の中で、原材料の高騰や人件費の上昇に伴う値上げ交渉が難しい状況です。値上げに踏み切ったとしてもグローバル調達が当たり前となる現代において、これまでの取引が継続される保証もありません。日本銀行が2022年6月に実施した「全国企業短期経済観測調査」によると、中小製造業は減益幅が12.2％に達すると報告されており、前回3月調査から経常利益の計画を下方修正したのは産業・規模別で中小製造業だけとなっています。

原材料費の高騰により経営が安定しない

中小製造業の利益を圧迫している大きな要因の一つが、原材料費の高騰です。日本政策金融公庫総合研究所が行った「全国中小企業動向調査（2023年）」によると、企業側は経営上の問題点として「売上・受注の停滞、減少」（28.8％）に次いで「原材料高」（24.8％）の問題を多く挙げました。

原材料高の背景にあるのは原油価格の高騰、2022年のロシアによるウクライナ侵攻が影響した天然ガスをはじめとするエネルギー価格の高騰などが挙げられます。急速に進んだ円安も要因の一つです。

大企業は軒並み原材料費の高騰などを価格に転嫁するため、製品価格の値上げに踏み切りました。ところがB to B中小企業の場合、取引先企業などからの理解を得るのが難しい、同業者間の競争が激しいなどの理由で、価格転嫁ができていません。値上げができないのにコストは膨らむ一方で、経営はより苦しい状況におかれているのが現状です。

02 人材不足により新規顧客の開拓は難しい

深刻化する人材不足

コストが上がり利益が少なくなるなか、現状を打破して業績を伸ばすためには、売上を増やすしかありません。しかし、特にB to B中小企業の多くは既存顧客との結びつきが強く、簡単には値上げできない状況です。

さらにこれが中小製造業の場合、ごく少数の得意先からの完全下請けで事業が成り立っているケースが多く、得意先がなんらかの事情で取引量を減少させたり、廃業したりした場合、途端に倒産の危機に陥ることも考えられます。少数の既存顧客だけに依存した経営は、大きなリスクを抱えています。

このような厳しい経営状況から脱するためには新規顧客を開拓するしかありませんが、どこの中小企業も人手不足に悩まされています。2023年に日本商工会議所が全国の中小企業を対象に実施した「人手不足の状況および多様な人材の活躍等に関する調査」によると、「人手が不足している」との回答が68.0%にのぼり、2015年の調査実施以来最大となっています。人材も不足し、売上を伸ばしたくても新規顧客の開拓もできないため、多くの中小製造業がじり貧の状態で耐えています。そのため人手をかけずに新規顧客を開拓して、現状を脱却できるような施策が、今中小製造業には求められているのです。

03 デジタル化により市場が拡大しているECサイト

B to B企業にも ECサイト構築の流れがやってきている

こうしたなか、注目されているのがインターネット上で行われる電子商取引、EC（エレクトリックコマース）の活用です。

ECサイトとは、自社の製品やサービスをインターネットのWebページで販売するサイトのことです。B to Cでは、1990年代の終わりにYahoo!ショッピングや楽天市場が登場し、B to CのEC市場は一気に拡大していきました。

一方、B to BのECも同時期にアスクルやモノタロウなどがサービスを開始しています。経済産業省の「令和4年度電子商取引に関する市場調査報告書」によると、ECの市場規模は前年比12.8%増となる420.2兆円に達しました。

B to BのECの市場が成長している理由は、ECシステム各社が新規参入してきていることが要因として考えられます。また、コロナ禍の影響でリアル店舗での対面販売や営業の外回りが難しくなったこともB to BのEC参入が加速した背景として挙げられます。さらに近年はITツールの導入などでデジタル化を図り、業務プロセスやサービスの在り方を改善していく「DX（デジタルトランスフォーメーション）」が推進されていることも、B to BのEC市場拡大に大きな影響を与えています。

B to B-EC市場規模の推移

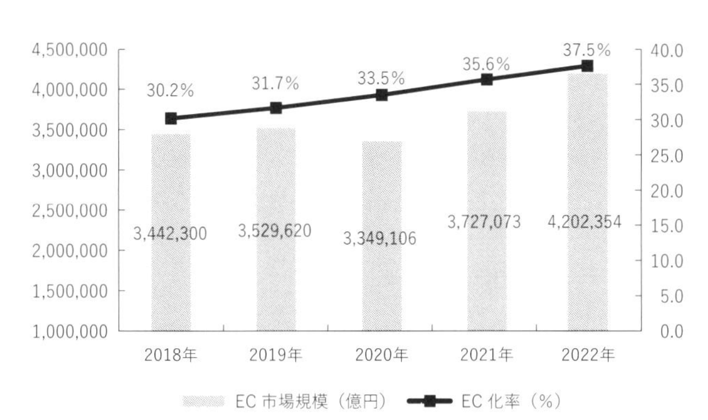

出典：経済産業省「令和4年度電子商取引に関する市場調査報告書」

いまや中小企業であってもDXによって複数の販売チャネルを活用することが、ビジネスのうえでとても重要になってきているのです。このような状況を考慮すると、今後さらにB to BのEC利用は伸びていくと考えられます。

こうした動向を受け、人手がなく新規得意先の開拓に時間も労力もかけられない中小製造業にとってはB to BのECの活用は新規の販路を開拓し、売上を増やす切り札ともいえるのです。

04 B to B向けのECサイトを知る

ECサイトにも種類がある

B to B向けのECサイトにはモール型ECと自社ECの二つがあります。

モール型ECとは既存のサイト内に商品・ショップを出店する形式のECサイトのことです。B to B専門のモール型ECサイトは少なく、規模も大きくありません。モール型のECサイトとしては楽天、Amazon、Yahoo!ショッピングでもB to B商材を多く取り扱っており、集客のメリットもあります。しかし、楽天やAmazonではB to B商材の市場規模が大きくない、手数料が高く儲からない、顧客情報を収集できない、ロット販売・オーダーメイド対応・見積や請求・支払いなどB to B取引特有の対応がしづらいといったデメリットもあります。

モール型ECのメリットとしては、モール自体の認知度が高く、集客のハードルが低いことです。すでに多くの登録ユーザーを抱えているモール型ECを選べば、集客の手間をかけずに自社商品を展開できます。

ただしモール型ECには中小製造業にとって大きなデメリットがいくつかあります。その一つとして挙げられるのがロイヤリティの発生です。モール型ECサイトを利用するにあたっては、さまざまなコストを支払わなければいけません。初期出店料や月額出店料、売上額に応じたロイヤリティや販売手数料など、モールによって料金が設定されており、想像以上にコストがかさむケースもあります。また、顧客情報がたまらないという点も中小製造業にとっては大きな痛手となります。モール型ECサイトにおいては、商品を購入した顧客の情報の所有権はモール側にあり、出店者あるいは出品者側は顧客情報を利用できないのが一般的です。新規の取引先を探すためのECサイトの構築であるはずが、顧客情報が得られないために、それをもとにしたマーケティング施策や販促活動ができないのは大きなデメリットになります。さらに、モール型ECサイトはモールそのものの存在感が強いため、顧客側に店舗のイメージが残りにくい点もデメリットといえます。例えば、楽天やAmazonで商品を購入した顧客が「どのショップで買った」かを認識しているケースは少ないと思います。

一方の自社ECは、自分の会社で独自にドメインを取得して立ち上げるECサイトのことです。すべてのページやシステムを自分たちで一からつくっていくため自由度は高いですが、商品ページや顧客のデータベースから決済機能のシステムまですべて開発が必要になります。外注しても初期費用だけで100万円を超えてくるケースがほとんどです。さらにオープン後もメンテナンスなどの運用費用がかかります。技術面やコスト面から中小製造業には少しハードルが高いと感じる人が多いと思います。

ASPを利用すれば簡単に自社ECを構築できる

小さなネジや包装資材、事務機器などのニッチな商材を扱うB to Bの中小製造業は、クライアントの要望に応じてカスタマイズできる自社サイトを構築したいと考えると思います。実際に私もその一人でした。

ECサイトを自作して運営していくには仕組みについてなど、ある程度の知識はどうしても必要になります。そのため、取りかかる前から「難しそう」「できない」という先入観を持っていて、それをなかなか払拭できないのです。

私の会社は1974年に父が創業後、一貫して伝票の自社製造・販売を行ってきました。しかし、デジタル化が急速に進むにつれて需要は激減。私が3代目として事業承継した2014年頃には、業績はかなり悪化していました。当時、私以外の従業員は2人だけで、同業者からの下請けやブローカーからの仕事がほぼ100％を占めているような状況でした。そんな折にECサイトを使って新規顧客を開拓することを思いつきました。もちろん当時の私にはECサイトに関する知識もノウハウも資金もまったくありません。そんな私を救ってくれたのがASPカートシステムを利用して自社ECを構築するという手段でした。

ASPカートシステムは、ECサイトに必要な、商材を表示するためのWebサイト機能と決済機能の2つの機能をセットにして提供しているサービスです。テレビCMなどで有名なBASEやSTORESなどがこれにあたります。自社サイトをつくるよりも簡単にECサイトを構築できます。また、私たちのようなニッチな商材を扱う中小製造業にとって最大のメリットでもある自由度の高いカスタマイズ機能が備わっています。

また、トップページや商材の表示ページ、ページツリー、決済システムなど、基本的な構造とシステムはすでに整っており、手順どおりに進めていくだけでECサイトが出来上がります。特にクレジットカード決済、ネットバンク決済、キャリア決済、電子マネー決済など、今は多岐にわたる決済方法が存在しますが、ASPカードシステムならあらかじめ対応していることは知識のなかった私にとって大きな助けとなりました。

さらに、費用に関しても自分でやれば事業をスタートするのにかかる金額や人件費は最小限で済みます。万一、仮にうまく進まなかったとしてもサイトを閉鎖すればいいだけなので、事業撤退に伴う費用もほとんどかかりません。運用している間も電話やFAXでの受注であれば対応する人員が必要になりますが、ECサイト上ではシステムが自動で受注や決済を行います。人によるサポートが必要なこともありますが、基本的には営業時間内の対応をしているところがほとんどです。

多くの中小企業経営者がB to BのECサイトを構築するうえで障壁となる、知識や資金、人材の不足を補い、新たな顧客開拓の大きな味方となるのが、ASPカートシステムを利用した自社ECサイトなのです。

05 今こそB to Bの中小製造業はWeb販売を始めるべき

ニッチな商品を武器にする

自社で扱っている製品のなかにニッチな商品があればEC販売にチャンスがあると思います。ニッチであればあるほど、検索ではヒット数が少なくなるため、結果では上位に上がってくる可能性が高くなるからです。また、そんな商品をピンポイントで探している人にとっては、自社の持つ他の製品ともなじみがいいかもしれず、新しい販路に可能性があります。しかも競合他社が少なければ、価格も強気に設定できるかもしれません。さらに、自社サイトであれば記述に制限がないため、分かりにくいニッチな製品でも十分な量の説明を表示できます。

当初は難しいと思っていた私でも、意外に簡単に自社ECサイトを構築できたのです。私と同じような経営状況にあるB to Bの中小製造業にとっては、ここにビジネスチャンスがあるといえます。これまで想像もつかなかった企業が顧客になる可能性を考えると、参入すればECサイトがあなたの会社を支える新しい基盤にもなり得るのです。

Chapter 2

Webの予備知識がなくても問題なし！費用ゼロではじめるECサイトのつくりかた

06 ECサイト構築前にやるべき市場調査と競合分析

やっておきたい市場調査

早速、サイト構築に入りたいところですが、その前に行わないといけないことがあります。インターネット上とはいえ、実店舗を始めるときと同じように、競合他社や参入する市場について知らなければいけません。今は誰もが手軽にスマートフォンやパソコンを使ってあふれるほどの情報のなかからお目当ての商品を選ぶことができる時代です。ユーザーに商品を選んでもらうには構築に着手する前に、市場調査が必須となります。

自分が販売しようとしている商材の需要はどこにあり、どれぐらいの競合サイトが存在しているのか、相手の単価はどれくらいかなど、把握しておかなければいけないことがたくさんあります。選ばれるサイトになるために、事前の調査は大切です。

とはいえ市場調査をどのように進めていいか悩むケースも少なくありません。市場調査と一言でいっても、調査方法は何に注目して調査を行うかによって結果も変わります。私がECサイトをつくる前に必要だと考えている調査は、次の2つです。

①ネット勢力図の確認
②ネット市場規模の調査

①ネット勢力図の確認

まずはEC市場で自分が売りたい商材を扱う店がどれくらいあり、どのようなサイトが売上を伸ばしているのかを調査します。これがネット勢力図の調査です。自分が販売したいと考えている商材を検索すれば、ネット上でその商材を扱っている企業のサイトがズラリと出てきます。なかには参考にならないサイトもあるので、検索するキーワードをいくつか試しながら絞り込んで、自分が始めようとしているECサイトに近いサイトがどれくらいあるのか調査していきます。

ある商材を販売する場合、狙い目となるEC市場の構造は、競合するサイトのうち1社のサイトだけが飛び抜けて人気が高く、ほかが際立っていない構造です。人気のあるサイトを見極める方法としては、ネット検索で出てくる順位を見るほか、口コミの数や評判などを比較します。これらの点に着目すると、厳密ではないものの、サイトごとの優劣がおおよそ分かると思います。また人気があるサイトと、あまり人が訪れていないと思われるサイトを比較し、何が違うのかをよく確かめることも大切です。

商材の値段はもちろん、商材そのものが優れているのか、商材の見せ方がうまいのか、あるいはサイト自体に工夫が凝らされているのかなど、参考にすることもできます。逆にライバルサイトに目立った特徴が見当たらないならば、自社サイトにこれまでにはない新たな手法を取り入れ、一気に目立つよう試みることもできます。

ECサイトを構築するにあたって、最初の目標はEC市場のシェアを自社で塗り替えることではありません。他社がもっているシェアを少しだけ分けてもらい、大きな額でなくてもいいので自社の売上をつくることです。1社だけが飛び抜けて強い、あるいは競合が3社くらいまでであれば、他社のシェアの一部を取りにいくことは、それほど難しくありません。しかし同程度の勢力をもつ販売会社が多い場合はシェアの奪い合いが激しく、またライバルが多いことで自社の特徴を打ち出すのも難しくなります。そのため参入してせっかく得たシェアを再び奪われる可能性も高くなり、ECサイト運営事業を継続するハードルが高くなります。

ネット勢力図を確認する際は、競合するECサイトの実績も調査します。まず楽天市場やAmazonなどのECモールで、売上ランキングから競合企業を割り出します。こうした大手ECモールにはさまざまな企業が多く出店しているので、調べるのは大変と思われがちですが、商材ごとの売上ランキングを調べることで、どのような企業と競合になりそうなのかがすぐに分かります。レビューの数などを参考にし、そのサイトで売れている商品の数と値段を掛け合わせればざっくりした規模感が推測できます。そこから自社が目標とする数値を設定します。

登録情報	
ASIN	B0BD6RHRDT
おすすめ度	4.2 ★★★★☆ 24個の評価 5つ星のうち4.2
Amazon 売れ筋ランキング	- 10,114位文房具・オフィス用品 (文房具・オフィス用品の売れ筋ランキングを見る) - 5位プリンタ帳票用紙
Amazon.co.jp での取り扱い開始日	2022/10/3

②ネット市場規模の調査

販売しようとしている商材がインターネットの外でどれくらいの市場規模を持っているかを知るためには、帝国データバンクなどのデータを活用します。競合企業の総売上を調査し、可能ならば報告書を入手して競合企業の総売上を確認します。競合となる企業を上位から何社かピックアップして調査すれば、ECではない市場規模の予測もつきます。

競合分析で大切なポイント

競合分析で実施したい3つの行動は次のとおりです。

・サイトの設計を分析する
・実際に商材を購入する
・顧客対応の方法をチェックする

サイトの設計を分析するには、最初にサイト全体の雰囲気や商品が検索しやすいかどうか、商品のカテゴリーをどのように分類しているのかなどをチェックします。イラストや写真などの見せ方、商材の訴求ポイント、会社概要の説明欄や、キャッチフレーズなども見ます。これらは自分でECサイトをつくる際にどのようなつくりにするのか、設計するための基礎になります。

サイト全体の雰囲気は、訪れた客が「入店」してくれるか、あるいはあっさりスルーされてしまうのかの大きなポイントです。一目見てどのような商品がどこにあるのか探しにくそうだと思われてしまえば見向きもされません。サイトの雰囲気は実店舗でいうなら入口やショーウィンドウにあたるので、人気があるサイトを見てしっかりと分析して良いところは自社のサイトに取り入れていくことが必要です。

他社サイトに掲載されているイラストや写真は、商材をどのように表現すれば顧客に商材の良さが伝わりやすいかの指標になります。商材写真の写し方ひとつで、購買意欲も変わります。同じ商材を売っているいくつかのサイトで写真を見比べると違いも分かってくると思います。商材の良さを引き出していて、思わず買ってみたくなる分かりやすい写真があれば、参考にすべきです。逆に分かりにくいと感じるならば、なぜ分かりにくいのか、どう表現すれば分かりやすくなるのかを考えます。

競合サイトで実際に買ってみる

商材を買いたくなるような訴求ポイントも重要です。その商材に対してどのような部分をアピールしているのか、そのアピールポイントは自社の商品にもあるのか、そのアピールは顧客に効果がありそうか否かをチェックします。

例えば服であれば着やすさや好まれそうなデザイン、ポケットなどの機能面などがうまく伝えられているかを顧客目線に立ってチェックし、シンプルに自分が買いたくなるかどうか、考えてみるといいと思います。

自社商材に同じ訴求ポイントがあり、それが効果的だと思えるのなら、言葉を換えて自社商材のアピールに使えばいいのです。一方で自社の商材にはない部分がアピールされているならば、自社商品の魅力はなんなのかを考えるきっかけになります。また、普段扱っている商材を顧客にどのようにアピールすればいいか分からない場合にも、他社の訴求方法を参考にすれば、何をどのように訴求するかの指標になります。参入当初はまず人気サイトのいいところを参考にするとつくりやすくなると思います。

続いて実際に商品を購入します。購入するときは、目的の商品を探しやすいか、値段や商品の性能や情報は見やすいか、送料はどれぐらいかかるのか、支払い方法はクレジットカードや電子マネーが使えるか、分割はどうか、銀行振込や代引きの可否など、購入する側にとってどのような利便性が用意されているのかも確認します。

サービス向上のために取り入れること

人気サイトになるにはスピーディーな対応も評価の対象にな

ります。そのため購入してから発送、到着までの時間を確認することで、その企業の対応を実感することができます。事業用に使用されるBtoB商材では、納期が優先されることも少なくないので、競合他社との優劣を図る重要な指標となります。

実際に商品が届いたら、梱包や中身の様子も写真や動画で記録しておきます。自社の商材の梱包方法を決める際、他社の梱包品質を大きく上回る必要はないものの、他社より明らかに劣る梱包仕様にするのは避けるべきです。大事なのは配達作業で商材が壊れることなくしっかり守られるか、顧客の手元に届いたあと開けやすい包装であるかどうか、ゴミが増えるような無駄な部分はないかなどです。他社の梱包状況を把握して記録しておき、自社の梱包の参考にします。

また商材の品質やメッセージレター、チラシなどの同梱物のチェックも忘れないようにします。ただ単に商品を送るだけでなく、同梱物によって「次回もここで買おうかな」と思ってもらえればリピーターの獲得にもつながります。

メッセージレターは、ネットショップにおける大切なアイテムです。なぜならECサイトは実店舗と違い、店員と顧客との間に会話がないからです。簡単で機械的なやり取りがECサイトの魅力でもありますが、売り手側の気持ちが伝わるようなメッセージを添えることは有効です。メッセージレターによってショップの店員に親しみを抱いてもらい、ショップのファンになってもらうことができれば、末永く付き合うことにもつながります。

チラシでは購入した商品以外の類似商品を宣伝するほか、SNSのアドレスや会社紹介、ブログのアドレスやＱＲコードなど、さまざまな情報を提供できます。簡単な印刷物で構わないのでぜひ入れておきたいアイテムです。競合調査で、ライバルが送ってきたチラシのうち、気に入ったものがあれば参考にします。チラシや手紙などは出荷する商品に入れて顧客に読んでもらい、リピーターを増やすことを目的にしています。

ちょっとした粗品も喜ばれる同梱物です。おまけはお得感につながり感謝されやすく、Webショップに対しても好印象をもってもらえます。少し前、３Ｄプリンター制作キットに小さなお菓子が同梱されており、制作指南書の最後の手順として「おやつを食べて完成をお祝いする」と書かれているのが話題になりました。このケースのようにユーモアを発揮する必要まではないものの、ちょっとしたおまけはサイトの評価に直結します。

そのほかには、次回のネット購入で使えるシリアルナンバーなどを印刷したクーポン券も、次回の購入促進につながります。また商品やサービスの満足度を尋ねるアンケートはサイトのブラッシュアップにもつながるので、アンケートに答えた場合の特典を設けるなどして同梱しておくといいと思います。

さらに購入手続き以外の対応についても確認します。サイトに記載のある範囲で構わないので、商品のサンプルを入手する方法は有料か無料か、問い合わせ方法にはメールや電話を含めてどのような方法があるか、返品やオーダー対応のルールがどうなっているかなどを確認します。

競合調査で商品購入した際に、万が一不具合があったなら、それは大きなチャンスともいえます。なぜなら問い合わせのしやすさや対応などをチェックする良い機会となり得るからです。商材を購入した際のチェックポイントや購入手続き以外の対応は、実際に自分たちが提供するサービスの参考になります。業界のスタンダードを調査して良い点や悪い点を分析して自社のサービス向上につなげる心構えが大切です。

最初の目標は月100万に設定

最初は何から手を付けていいのか分からなくても、このようにして競合他社のサイトをいくつか見ていると、自分が理想とするサイトの姿が想像できるようになってきます。そこで、思ったとおりのサイトをつくることができた場合に、開設から1年後に仮に月100万円を売り上げられるかどうかを考えてみます。

私が伝票用紙など用紙専門のECサイトを立ち上げた際は、1年後の目標を月100万円としました。結果としては1年後には月に500万円と予想の5倍にもなる金額を売り上げるまでに成長できましたが、最初からそのような数字を想定するのは難しいと思います。まずは、サイトの運営費やECに伴って発生する業務コストを差し引いても十分に利益が出る金額を売上目標として設定し、達成に向けて進めていくことで、現実的に可能な売上目標を立てられると思います。

サイト開設から１年後とはいえ、目標の売上を達成するのは難しいと感じる場合もあると思います。ネット市場の規模や競合の強さなどを理解できると、その分限界も見えてきて、やみくもに「できそう」とは考えられず、難しいと判断せざるを得ないこともあると思います。

もし月の売上目標の達成が難しいと感じる場合は、ほかの商材で市場調査を行い、売れそうな商材を探して再度挑戦してみてもいいと思います。実店舗のような資金を必要とせずに出店や閉店を繰り返すことができるのもECショップの利点だと思います。

07 ショップ名は企業名と区別する

訪問客がすぐに理解できるショップ名

ECサイトを開設するうえで、ショップ名は顔であり名刺であり、サイトの特徴を一目で顧客に伝える看板でもあります。そういった意味でもショップ名はよく考えて決めることが大切です。

ショップ名で最も大切なのは、名前を見ればすぐにどのような商材を扱っているサイトなのかが分かることです。例えば、私が運営しているECサイトの名前は、「用紙」つまり紙を扱っていることがすぐに分かる名前をつけました。よくある名前の一つである「商材+ドットコム」などは、非常に分かりやすい名前の代表です。

扱う商材を使った分かりやすいショップ名は、検索されたときに上位に表示されるようにするSEOの観点からもメリットがあります。SEOとはSearch Engine Optimizationの頭文字をとったもので、「検索エンジン最適化」を意味します。特定のキーワードでの検索結果が上位に表示されるようにWebサイトを最適化する方法です。EC市場で商品を探そうという人が検索エンジンを使ったときに、その商品の名前がショップ名に入っていれば、検索で表示される可能性が上がり、来店につながりやすくなります。検索では1ページ目に表示されたサイトが、2ページ目以降のサイトに比べてはるかに多くクリックされるので、検索の上位に表示されることは集客に優位で、売上アップにもつながります。

ここで一つ注意すべきなのがECサイトのショップ名と企業名は区別しておくことです。会社のイメージを守るために重要な点で、例えば2次産業である製造業の会社が参入したとします。一方でECサイトは、他者から見ると「商店」のようなものですから、当然3次産業の販売業に見えています。実はこのギャップは意外と大きいのです。製造業なら製造業の、商店なら商店の、それぞれのイメージがあります。SEO対策を取りながら企業イメージを保つためにも、企業名とショップ名は別にすることがポイントです。

ショップ名を決める際の注意点

ショップ名でありがちな失敗には以下のようなものがあります。

- 聞きなれない外国語を使ってしまう
- 既存の他社サイトと同じショップ名にしてしまう
- 他社の商標を侵害している

特に避けたいのが、あまり一般的ではなく、よく知られていない外国語を使ってしまうことです。レストランやブティックの実店舗なら、店構えやショーウィンドウから実際にどのような料理や商品を扱っているのか分かります。しかしECサイトでは、まず検索した結果のリストに掲載される文字情報での勝負になります。

例えば「紙」も英語の「ペーパー」ならば、誰にでも分かってもらえます。しかし、これがフランス語の「パピエ」やドイツ語の「パピア」になってしまったら、何を扱っているのかまったく分かりません。一目で何を扱っているサイトか分かってもらうためにも、認識されにくい言葉は避けてください。どうしても外国語を使いたいのであれば、ペーパー（紙）やカー（車)、ブック（本）のように日本語としても一般化している言葉にとどめるべきです。

もう一つ注意したいのが、すでにあるサイトや会社とのショップ名の重複です。ショップ名の候補がいくつか決まったら、必ずその名前をインターネットで検索し、同じショップ名が出てこないか確認が必要です。同じショップ名のサイトがあると紛らわしいだけではなく、自社のショップに来ようとしていた訪問客が、間違えて競合するショップに流れてしまうことも考えられます。また、先にそのショップ名を使っている会社や、そのことを知っている人からの心証もよくありません。

最後にそのショップ名が、すでに別の会社で商標登録されていないか確認します。インターネット検索の結果には出てこなくても、すでにどこかの会社が何かの目的で商標を登録している場合があります。よく見かける例としては、新しいテレビの番組名があります。公式情報が出る前にテレビ局や番組制作会社は番組名を商標登録し、ほかの企業や団体がその名称を使えないようにしてから、広告やグッズの制作に取り掛かるのです。

商標の検索は特許庁のホームページから行えるので、ショップ名の候補を検索し、その名称が使えるか確認します。商標の確認を怠り、すでに他社が登録している商標を使ってしまうと、商標権侵害でショップ名使用の差し止めや損害賠償の請求、刑事罰が科される事態に発展する恐れがあることに加え、自社や商品のイメージ悪化にもつながります。必ず確認してください。

08 サイトの基本設定は「とりあえず」でよい

デジタルに疎くても簡単にECサイトは始められる

実際にサイトを作るためにまずはASPカートシステムを選定します。探してみると実にさまざまな業者がこのシステムを提供していることに気づきます。知名度の高い大手を選ぶ限りはサービスの質やサイトの質、顧客から見たサイトの使いやすさなどに大きな違いはありません。下記のようなポイントをチェックし、目的に合った業者を探します。

費用：初期費用、月額利用料、オプションや拡張費用
機能：理想のサイトが作れそうか
容量：会員登録可能数、設定可能カテゴリー数、商品点数、画像などの素材データ容量
設定：販売ロット、まとめ買い設定、オプション設定
対応：問い合わせ方法
設計：レスポンシブデザインではないサイトが構築できるか

ASPカートシステムは使いやすいといっても、元々はB to C向けを想定しているため、あらかじめ用意されている基本のフォーマットでは使いにくいケースもあります。そのためページカスタマイズの自由度は非常に重要なポイントになります。

私が運用している用紙専門のECサイトの構築にはmakeshopというシステムを採用しました。選定時は私自身、ECサイトを構築するのは初の試みであり、構築していくうえでどんな問題が発生するかまったく想像できない状態でした。そのため、Q&Aをはじめとしたヘルプやユーザーサポートが充実しているシステムを使おうと考えていたのですが、makeshopでは電話での問い合わせにも対応しているということだったので、迷わずこちらを使うことにしました。

ASPカートシステムも日進月歩ですし、これから新しいシステムが次々と生まれる可能性もあります。そのため私が使ったmakeshopが必ずしも最良の選択肢とは限りません。自分の能力、やりたいこと、出来上がった時のサイトのイメージなど、重要になるポイントは人それぞれです。私の場合、電話で問い合わせができることを最重視しましたが、それは必要ないと感じる人もいるはずです。そのため上記のポイントを参考に、自分のスキルや扱う商材に合わせ、使いやすいシステムを選ぶことが大切です。

基本事項の入力

ECサイトには、商材を表示するためのWebサイト機能と決済機能の2つの機能があります。ASPカートシステムは、この2つをセットにして提供しているサービスです。

Webサイトをつくる際には基本的に「サーバー」や「ドメイン」が必要となります。サーバーとは、たとえるなら何棟も

ECサイトの構造

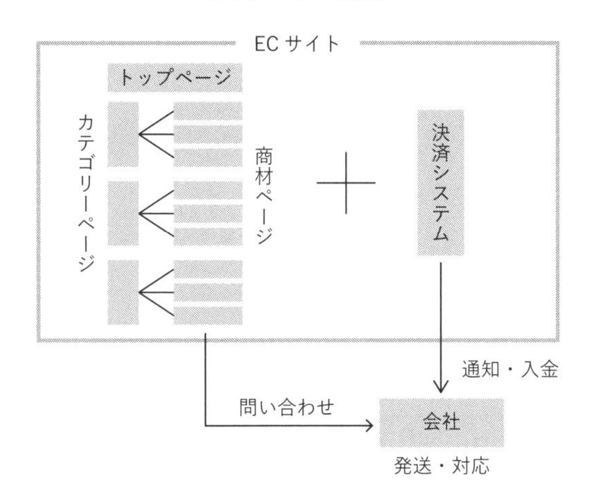

連なった団地のようなもので、Webサイトをつくる際にはサーバーの運営業者からサーバーの一部、つまり団地の一棟を借りて、それぞれの部屋をアレンジしていく形になります。ASPカートシステムに含まれるWebサイト機能は、この団地の一棟を借りられ、団地の看板や各部屋の基本的な内装などがそろっているイメージです。ドメインとは借りた棟の名前です。サーバーの運営業者がつけた名前をそのまま使うこともできますが、自分で決めた名前を使うこともできます。自分で決めた名前は「独自ドメイン」と呼ばれます。

企業の場合、Webサイトやメールなどに使用するために、すでに独自ドメインをもっているところも多くあります。ECサイトをつくるうえでも独自ドメインを取得しておいたほうが便利です。ASPカートシステムを使ってECサイトを作る際、独自ドメインを使用しない場合、サイトのアドレスに、例えば「○○.makeshop.com」のようにASPカートシステムの提供者が定めた文字列が挿入されます。一方、独自ドメインを使用することで「○○.com」のようなアドレスとなり、ASPカートシステム提供者の文字列が表示されなくなります。建物にたとえると、団地の一棟を借りているのではなく、自社ビルを所有しているように見えるようになるのです。独自ドメインはサーバーの管理システムで申請したり、ドメイン取得サービスを利用したりすることで簡単に取得し、使えるようになります。

このようにECサイトをつくる際には、団地の看板や各部屋に置く家具（商材）、各部屋の内装を整えていく必要があります。とはいえ、通常の団地にすでに区分けされた住居や間取り、廊下や階段などの共用部があるのと同じように、ASPカートシステムにもあらかじめ基本となるサイトの構造や、ページをつくり込んでいく場所が用意されています。ですから、建物ならば部屋の内装を整え家具を置くように、サイトで使う文言や画像を整えていけば最低限のショップの形が整えられるのです。つまりWebサイト機能については、Web上のブログサービスやWebサイトシステムを使うのと、さほど違いはないのです。

決済機能とは、Web上のデータの送受信で決済を処理する機能です。実際の店舗でたとえるならレジの機能に該当します。決済機能はクレジットカードの情報などを扱うため、高いセキュリティが要求され、個人が独力で構築するのはまず不可能です。自社で独自のECサイトを設ける場合でも決済は外部サービスを活用しているケースが多く見られます。ASPカートシステムの場合、この決済機能があらかじめセットになっていますので、最小限の設定だけで決済機能が使えるようになります。

09 ECサイトの立ち上げ

実際のECサイトのつくり方

製造業のECサイトは、専用デザインよりも見やすさという点で見劣りするためレスポンシブデザインにしないほうがよいです。なお、ここからはパソコン表示を前提として説明します。

いよいよ自社独自のECサイトを作る段階に進みます。まずショップ名や問い合わせ先の設定など、必要な基本情報を入力していきます。

ここからmakeshopの設定になります。

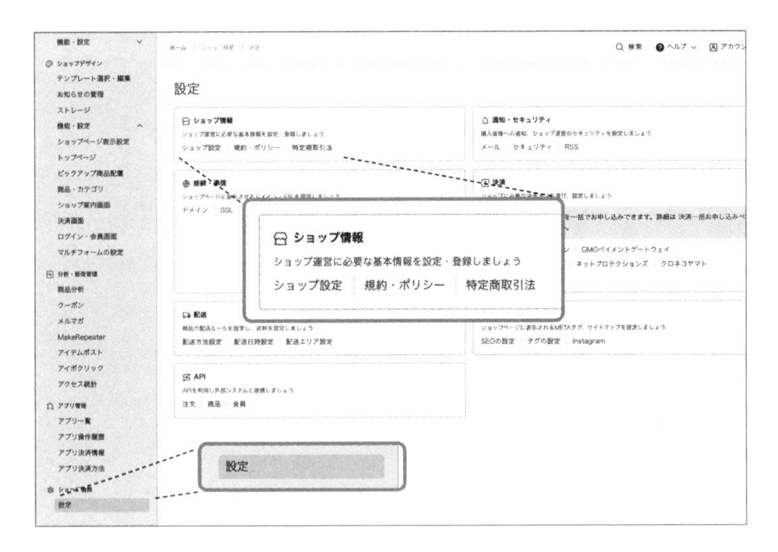

設定のショップ情報をクリックすると次のような画面が現れます。最初はあらかじめ決めておいたショップ名を入力します。

ショップ名の設定

ショップ名の設定
お問い合わせ先設定
開店状態の設定
シークレットショップ

* ショップ名の設定
ショップ名を設定することができます。
ショップ名

* Googleショッピング用のショップ名
Googleショッピング用のショップ名を設定することができます。※Googleショッピングに掲載する場合のみ
ショップ名

保存

続いて問い合わせ先として使用するメールアドレスや注文が入ったことを知らせるメールの宛先、会社の所在地や電話番号などを入力します。

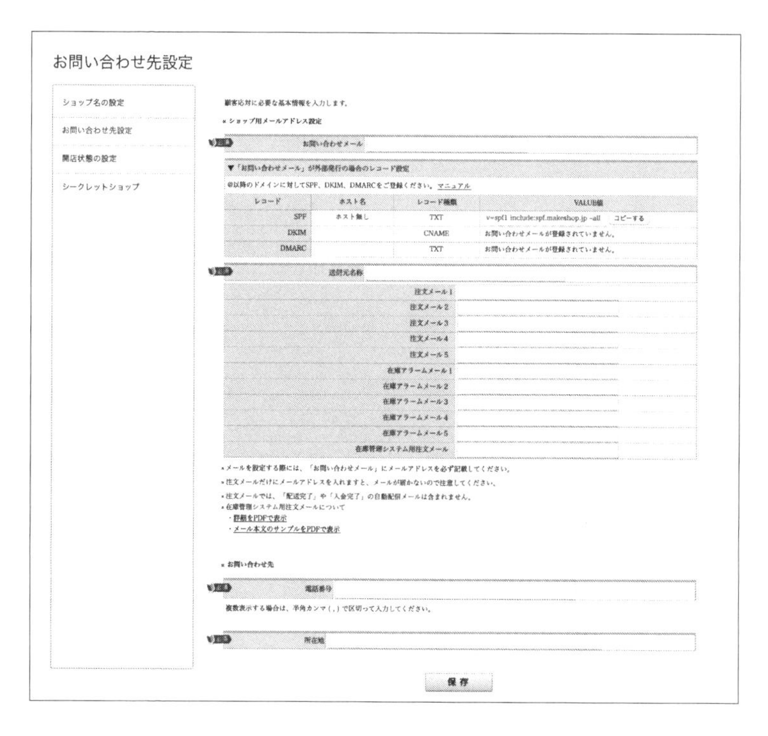

続いて決済の準備を行います。

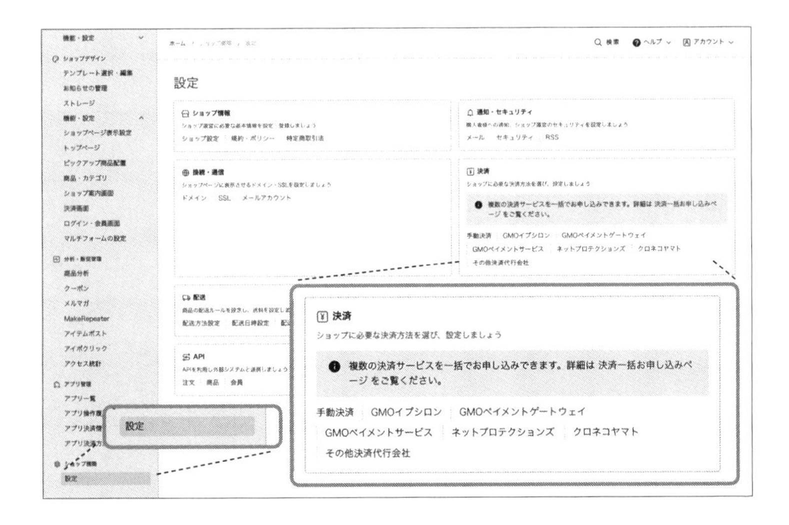

ここでは銀行振込のほか、代金引換、後払いなどを設定することが可能です。このページでは銀行振込の設定を行います。顧客に代金を振り込んでもらう銀行の口座を入力します。

銀行振込の設定

銀行振込の設定
任意決済の設定
代金引換の設定

決済に関する条件を設定することができます。

銀行振込
銀行振込を 利用しません 新しいタイトル：
・銀行振込を利用するのに必要な内容を書き込んでください。決済時に表示されます。
振込口座登録
保存
・例)三菱UFJ銀行　渋谷支店　普通口座　口座番号xxxxxx　株式会社○○○
・振込み先を１個ずつご登録ください。
・振込先を登録すると注文書に選択できるように表示されます。
保存

下記が代金引換の設定が行える画面です。

決済機能は、申し込んでから使えるようになるまで1カ月ほどかかる場合がありますので、カートの利用登録を済ませたら早めに手続きをすることが必要です。

特にB to Bの製造業の場合、顧客が後払いできるように「その他決済代行会社」の項目から後払い.comやPaid決済が使えるようにしておくことが望ましいです。後払い.comとは訪問客が商材を受け取ってから、銀行や郵便局、コンビニエンスストアで後払いができるようにするサービスです。またPaid決済とは、請求書の発行や代金の回収などを代行してくれるサービスです。どちらのサービスも、代金の支払いが遅れている場合の催促の代行や、万が一客に代金を支払ってもらえなかった場合の補償もあります。

その他決済代行会社の設定は下記から進みます。

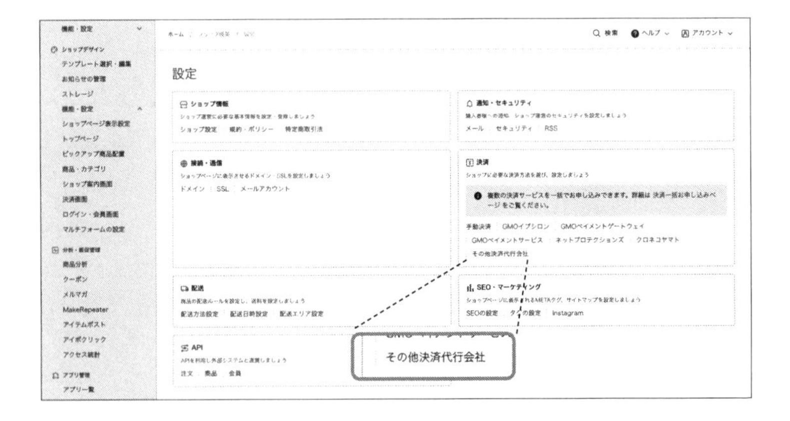

後払い.comの設定は次の場所からできます。

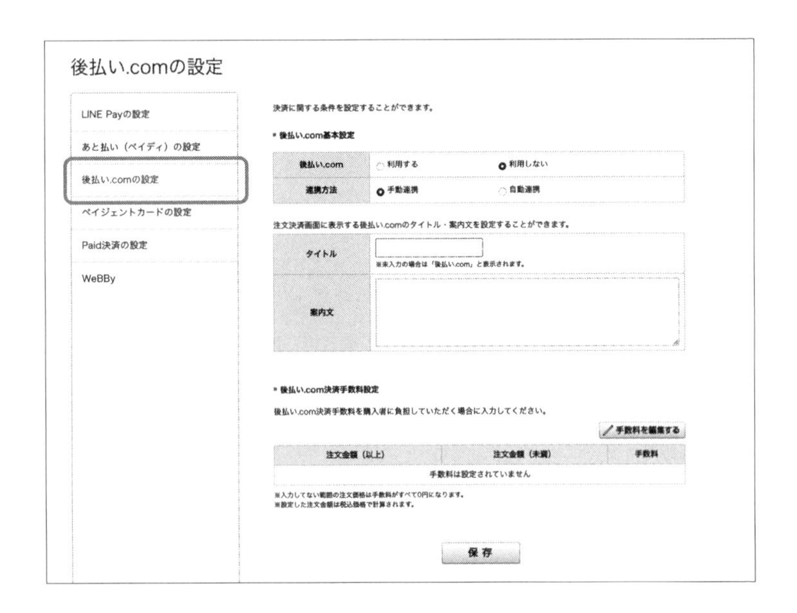

Paid決済の設定は下記の場所から行います。

Paid決済の設定

LINE Payの設定
あと払い（ペイディ）の設定
後払い.comの設定
ペイジェントカードの設定
Paid決済の設定
WeBBy

Paid決済（後払い決済）を利用するための設定をします。

＊ご利用の設定

Paid決済（後払い決済）を利用するための設定をします。

Paid決済（後払い決済）　利用しません

＊API認証コードの設定

ラクーンフィナンシャル社より発行されている「API認証コード」をご入力ください。

API認証コード　（32ケタ英数字のみ入力可）

Paid決済をご利用になるには、ラクーンフィナンシャル社へのお申し込みが必要です。→お申込みはこちら
複数の店舗にてPaid決済をお申込みの場合、各店舗ごとにAPI認証コードは異なりますのでご注意ください。

＊注文画面の表示設定

注文画面に表示される、Paid決済の「決済表示名」「説明文」を入力してください。

決済表示名　（例）後払い決済（Paid）

説明文入力
HTML利用可　最大半角12,000文字

後払い決済（Paid）にてお支払いいただきます。

10 ECサイト立ち上げチュートリアル

最低限整えるべき情報

そのほか、最低限入力しておきたいのは下記の項目です。

・会社情報　　：住所、連絡先……
・ご利用案内　：初めての利用、注文方法など
・よくある質問：納期、送料など
・お問い合わせ：問い合わせフォーム、電話番号など

ご利用案内には、配送方法や納期、支払い方法などを記載します。競合サイトやほかのECサイトを見れば、どのような内容を記入すべきか参考になります。次のような項目に細分化することで記入すべき内容が簡潔になります。

これらの情報は、ECサイトで安心して商品を購入してもらうために最低限必要な要素といえます。①の配送方法に入れるべき情報は、例えば注文から何日以内に発送するかということや、商品を届ける配送会社などです。「○時までの注文なら、当日発送」のような情報もここに該当します。

①配送方法　：ゆうパック
②納期　　　：通常、発送から○日以内
③支払い方法：振込、クレジットカード
④送料　　　：○○円以上の注文で無料
⑤返品について：到着後○日以内、オーダーメイドは返品不可……

②の納期は到着についての情報です。使用している配送会社ならば通常、発送から何日で届くといった情報や、離島、遠隔地などの場合の輸送日程などについて記載します。

③の支払い方法では、対応している支払い方法の種類や、それぞれの方法での入金期限、領収書対応などの情報が必要です。振込手数料をどちらが負担するかなども記載します。トラブルがあったときに対応できるよう、ルールを定めきちんと表

示しておくことが大切です。ほかにもサンプルの請求方法やオーダーメイドの依頼方法、大量購入対応も記載しておくとより分かりやすいサイトになります。

makeshopの場合、こうした情報は下記の場所から入力できます。

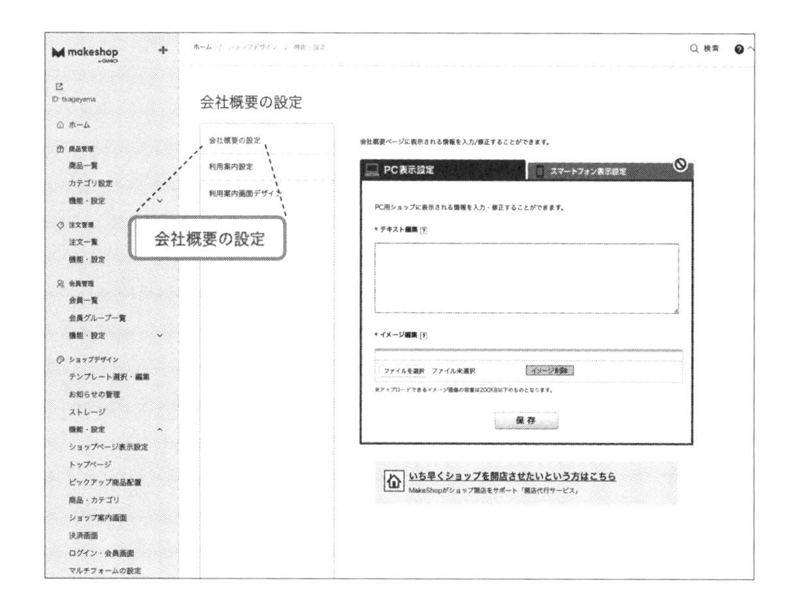

そのほかB to B向けのECサイトだからこそ記入しておきたい内容もあります。

・サンプルの請求方法：種類選択……
・オーダーメイド対応：対応可能な商品、加工の種類など
・大量購入対応：見積依頼方法など

特にB to B向けのECサイトでは、サンプルを請求されるケースが多いため、サンプルの請求方法は必ず記載します。B to B向けではオーダーメイドや大量購入が求められる場合もあります。こうした部分に対応できないと、せっかくサイトを訪れてくれた顧客を逃すことにもなりかねません。B to B向けサイトでは顧客も企業ですから、企業が安心して使えるようにきめ細かく対応を定め、記入しておくことが重要です。

配送方法と送料の設定

ECサイトの場合、通常の取引とは異なり、宅配便や郵便などを使うケースが多くなります。どの配送業者を利用するかによって、対応できる荷物の大きさや値段、追跡サービスの有無などが異なります。B to Bの製造業の場合、比較的大きめの梱包になるケースが多いので郵便ではなく宅配業者の利用が多くなります。

また送料については、無料にしているECサイトもあります。さらに配送日時を設定し、注文を受けてからどれくらいで発送するかについても商材を用意できる期間などを考慮したうえで決めておく必要があります。makeshopの場合、送料の設定や

配送日時の設定は下記の場所から行います。

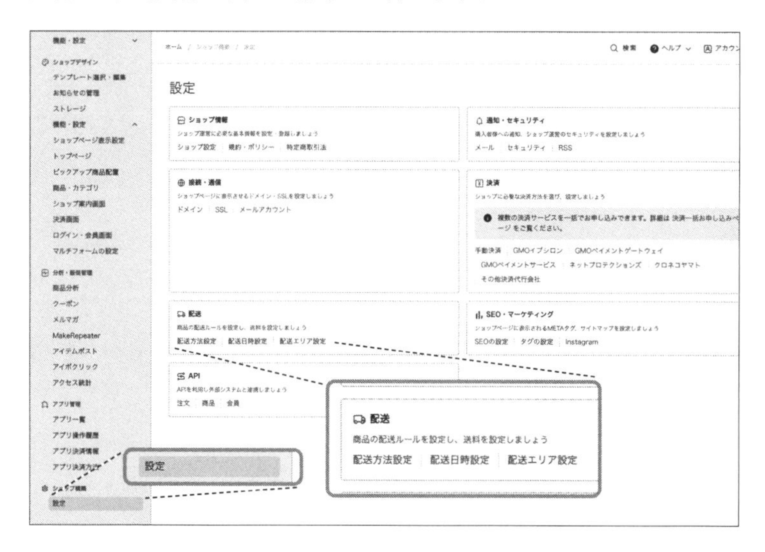

返品・返金・キャンセルのルール

特定商取引法により、ECサイトには返品・返金・キャンセルのルールを記載しなければいけません。特定商取引法とは、消費者の利益を守るために、商材やサービスの販売者が守らなければいけない法律です。事業者名を明らかにすることや、不誠実な広告を行わないなどが定められています。このなかに、返品に関するルールを顧客が確認しやすい位置に表示することが含まれています。そのためあらかじめ、返品やキャンセルのルールも定めておく必要があります。特に決めておきたい項目は次の5つです。

・返品理由の条件：商品間違いや不良品など弊社に責任がある場合
・返品期限　：商品到着後 14 日までにご連絡ください
・返品方法　：着払いにて送付ください
・送料の負担：弊社負担
・送金方法　：振込

ショップを開店する以上、返品が発生するケースもあらかじめ想定しておく必要があります。返品の理由は主に商材に不具合があった場合と、顧客側の都合に分けられます。商材の不具合や配送途中の破損など、ショップ側に不具合やミスがあった場合には基本的に返品に応じます。当たり前ですが、明らかに商材に問題があったのに不誠実な対応を行ってしまえばショップの信頼を損ねます。発送する商材に不具合がないよう梱包時に検品したり、配送に保険をかけたりといった対応も必要になります。商材や配送に問題があった場合は誠意ある対応をすることも記載しておくと、顧客に安心してもらえる効果があります。

しかし、「思っていた色ではなかった」「イメージと違う」「実際に使う前に壊してしまった」など顧客の都合による場合は、すべてを受け入れるのではなく条件を定めて対応することが必要です。どこまで対応するかは、ショップの運営者が決めてルール化しておく必要があります。私の場合は、サイズ違いや種類違いなどの場合には、在庫があれば商材の「交換」に応じていますが、客側の都合による返品は受け付けていません。なぜなら顧客都合での返品まで受け付けてしまうと、商材の梱包や発送の手間だけがかかり、売上につながらないからです。

返品のルールについては、makeshopでは返品規約管理の欄に記入することができます。利用するECサイトの種類によっては特定商取引法設定の欄に記入するケースもありますし、返品のルールや注意事項を書いた紙を商品に同梱することも手段の一つです。また、こうしたルールをECサイトのなかや同梱物など複数の場所に記載し、顧客が確認しやすいようにすることで、顧客が混乱することなく、ショップに対するイメージの向上にもつながります。

最初のカスタマイズはテンプレートから

基本情報の入力を終えたら、次はショップをデザインしていく作業です。まずはレスポンシブデザインではないテンプレート（定型のひな型）を選びます。ASPカートシステムにはデフォルト（あらかじめ用意された初期設定）のテンプレートに加え、いくつかのテンプレートが用意されています。用意されたテンプレートが気に入らなければ、ASPカートシステムによってはインターネット上で公開されているテンプレートを購入して取り込むこともできます。実はASPカートシステムで用意されているテンプレートの種類は多くなく、2〜3つあればいいほうです。しかしインターネット上ならば、さまざまなテンプレートから選ぶことができます。テンプレートには編集可能なものと編集ができないものがありますので、まずは編集可能なものを選んでください。

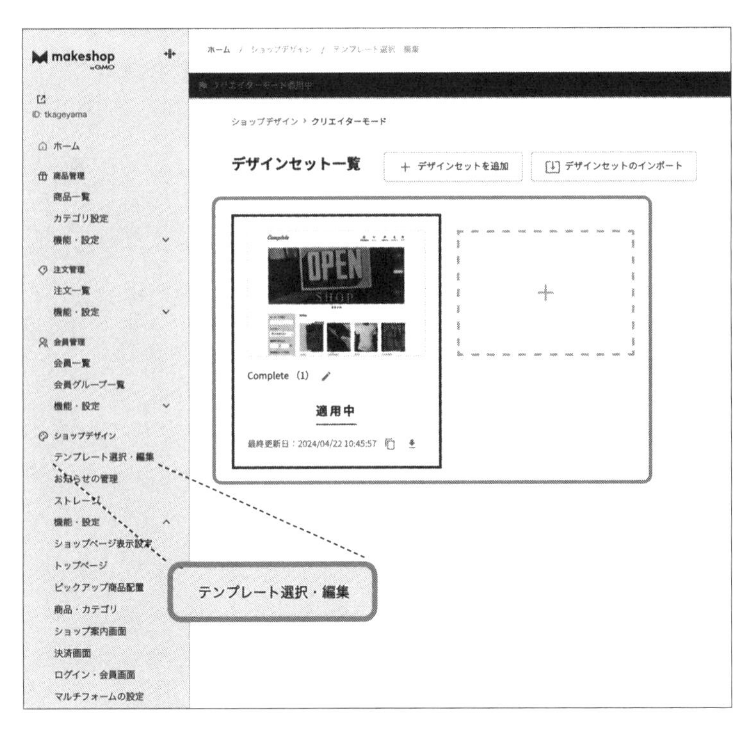

編集可能なテンプレートのなかから実際に使うものを選ぶ際に特に重視すべきなのは、「メニューリスト」のデザインがイメージに近いことです。メニューリストはサイトの上部に表示される、主要なページに移動するためのバナー（クリックすると別画面に誘導する画像）の集合体です。

メニューリストはカスタマイズ（自分の好みにつくりかえること）することが難しいので、そのまま使えるテンプレートを選ぶのが基本です。同じようなメニューリストのテンプレートのなかから選ぶ場合は、ヘッダーが自分の理想のイメージに近いものを選ぶのが完成への近道です。

一方、B to Bで使用する場合はカスタマイズが重要な要素になります。ECサイトで一般的に配布されているテンプレートは、基本的にB to C向けのため、写真などの表示が多く商品説明のスペースがあまり多くありません。例えば楽天やAmazonなどのB to C向けサイトを見てみると、多くの場合、まずは写真がズラリと並び、スペック表などはかなり下までスクロールしないと表示されないつくりとなっています。

しかし、B to B向けECサイトでは、忙しい業務中にすぐ確認してもらえるよう見やすい場所にスペックを表示させる必要があります。必要な情報にすぐたどり着けないと他社のサイトに移ってしまう可能性もあります。B to Bで使用するにはカスタマイズが必要なのです。

また、ほかにもテンプレートのままではB to B向けには使いにくい部分があります。例えば商品のスペックを判断するのに必要な情報が記入しきれないケースが多く見られます。トップページやカテゴリーページに、説明するための文章に使えるスペースがあまり多く取られておらず、十分な情報が掲載できません。そのため、少し大変ではありますが、ほぼつくり替える作業が必要となります。

11 トップページでECサイトは決まる

一目で「ネットショップ」だと分かってもらうために

ECサイトは1枚のページだけ表示されるのではありません。一冊の本のようにTOPページやカテゴリーページ、商品ページなど数多くのページがあります。そのためECサイトを構築する際は、商品ページだけでなく、カテゴリー紹介ページや利用規約ページなど、どのページを訪れても、それがすべて同じネットショップのものであることを顧客に一目で分かってもらう必要があります。そのためにはサイト内のどのページにいっても、常に次のようなバナーが表示されていることが必要です。

・商品検索
・送料無料
・カートを見る
・会員登録

「商品検索」や「カート」といった言葉は、ダイレクトに買い物をイメージさせる言葉であるため、サイトを訪れた人にECサイトであると直感的に認識してもらうことができる言葉です。また、「送料」や「会員」なども、やはりモノをやり取りする場という印象を与える言葉です。これらの言葉が書かれたバナーを見れば、サイトを訪れた人は、特に説明を読まなくても「ここはECサイトである」と認識できます。さらに、これらの情報は必ずファーストビュー、つまりそのECサイトを開けばすぐ目に入るように表示されるようにします。

私が管理しているサイトでは次ページのように表示させています。

ほかにも「即日発送」や「領収書」などのキーワードを表示させておくと、そこがネットショップであると認識されやすくなります。

TOPページはカテゴリー説明が9割

ASPカートシステムのデフォルトの設定では、トップページに商品を並べられるレイアウトであることが多くあります。しかし、これもB to C向けの構造です。入荷したてや売れ筋の商材を売りたい場合には有用ですが、B to B向け商材は、季節や新商品だからといって人気になる商材ばかりではありません。そのためトップページに商材を並べても売上に直結するわけではなく、あまり意味がありません。

そこで私はトップページには商材のカテゴリーと、それぞれのカテゴリーに対する説明を並べるようにしています。こうすることでトップページから目的の商材にアクセスしやすくなります。これはサイトに複数回訪れ、複数回購入してくれる顧客にとって非常に便利な仕組みです。実際にモノタロウやMiSUMiのような大手専門系ECサイトもトップページにはカテゴリーを並べています。

このときに意識したいのが、顧客がどのようなキーワードでそのカテゴリーの商材を探すかです。顧客が検索エンジンから検索したときに、ECサイトが上位に表示されるようにするためには、カテゴリー名にも顧客が検索する言葉を使用する必要があります。

カスタマイズをおろそかにしてテンプレートのまま使ってしまうと、カテゴリー説明には限られた文字数しか表示できず、情報が不足して商材を十分理解してもらえません。もちろんこのままでもECサイトとして運用することはできますが、例えばカテゴリーの違いを分かりやすく画像で表示したい場合は、ソースコード（コンピューターのプログラムを表現する文字列）を編集し、より多くの情報が表示できるようにすることができます。

12 バナーやボタンを準備する

フリー素材で簡単に作成可能

バナーやボタンはサイトのイメージをつくる大切な素材です。バナーとは、サイト上で別のページに誘導するリンクが付いている画像のことです。私のサイトで使っているバナーには次のようなものがあります。

ボタンとは、サイト内で「送信」などの操作を実行させるものです。私のサイトで使っているボタンには次のようなものがあります。

このような素材はテンプレートにはありませんので、自分でつくる必要があります。とはいえ難しく考える必要はありません。ネットを検索すれば自由に使用することができるフリー素材も配布されていますし、CanvaやIllustratorといった、画像やWeb素材を簡単につくれるツールなどを使って自分で編集

することもできます。レイアウトを編集していく際は、このような素材もレイアウトの中に配置していきます。

写真や動画の掲載方法

商材や梱包の写真も、商品を構成する大切な要素です。準備した写真やイラスト、動画なども、レイアウト時にサイトの中に配置していきます。

makeshopの場合、下記の場所から写真を掲載することができます。動画の場合はいったんYouTubeなどにアップロードして、埋め込み用のコードをコピーしてサイトで表示させることができます。

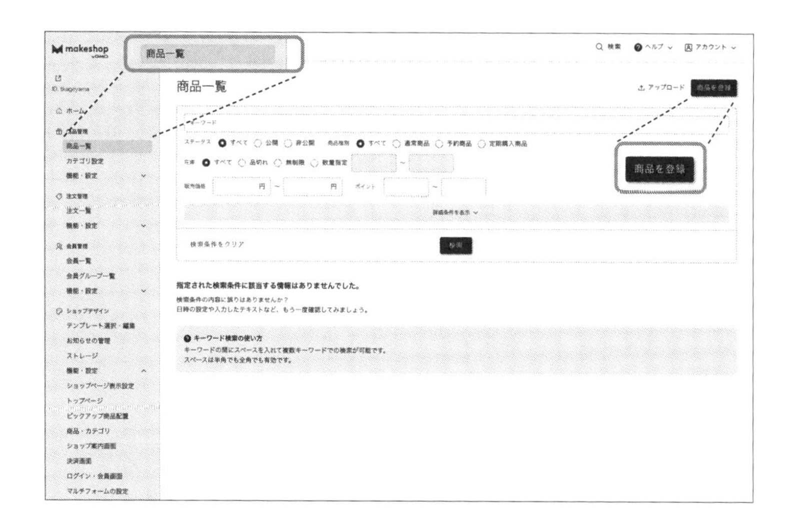

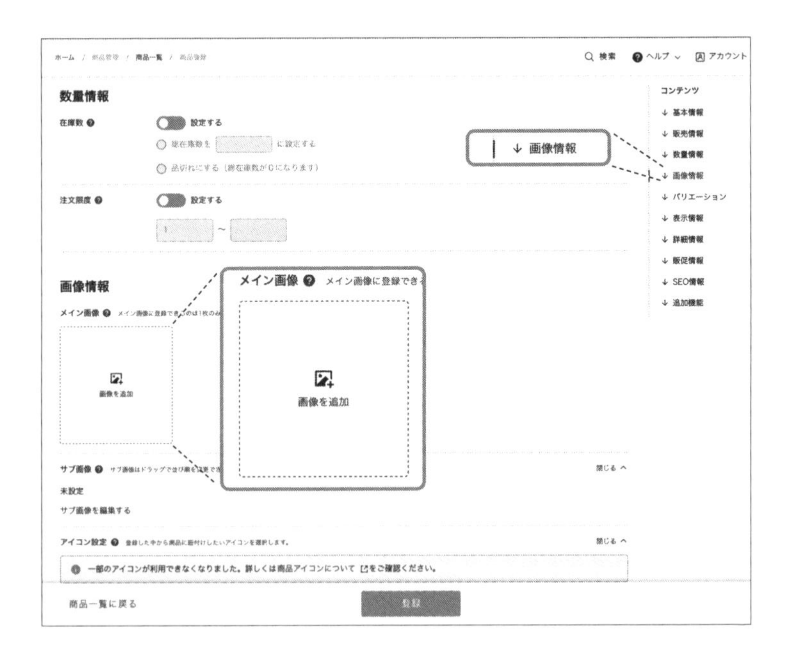

13 商材のラインナップを決定

売れる商材に欠かせない条件

ECサイトで扱う商材を選ぶ際には、次の3項目を確認することが必要です。どのような商材であっても、この3つに当てはまらない場合には、ECで売って利益を上げるのは難しいと考えられます。

①ネット販売価格の相場で売っても利益が出る
②ターゲットの裾野が広い
③コモディティ（一般的な商品）化していない

①の「ネット販売価格の相場で売っても利益が出る」は、商売をするにあたって当たり前のことです。ECサイトで売られている商材のなかには、実店舗より安い値段で購入できる商材もあります。ECサイトであれば店舗は必要なく、家賃や店舗造作などの投資は必要ありません。接客する店員も基本的には必要ないわけですから、人件費も安く抑えられます。諸経費が実店舗で販売するより安く抑えられるので、その分を販売価格に転嫁できるのです。

にもかかわらずネットで販売されている相場価格では利益が出ない場合は、その商材を扱うことを考え直す必要があります。品質が良ければ相場価格以上でも売れると考える人もいると思いますが、私は少なくともEC市場では、そのようなケースはあまりないと考えています。なぜならECサイトでは、商材を手に取って確かめることができず、文字や画像といった情報でしか商品を選べないからです。そのためほかの商品との差別化は難しく、やはり値段が安いほうが選ばれることが多いです。まずはネット上で販売されている相場価格で利益を出すことを考え、無理であれば撤退を決断する必要があります。

また特定の顧客にしか売れない商品ではECサイトを使って

も新しい顧客は開拓できません。ECサイトの利点の一つは広い範囲から顧客を呼べることです。利点を活かすためにも、②の「ターゲットの裾野が広い」かどうかが非常に重要な点となります。専門性の高い、実店舗では探すのが大変という商品もすぐ探せるのがECサイトでの買い物の利点です。ニッチな商材であれば競合が少なく初心者でも売りやすい反面、ニッチすぎて買ってくれる会社が極端に少ない商材は避けるべきです。

また、③の「商材がコモディティ化していない」ことも重要です。コモディティ化とは、市場が十分に活性化して一般的な商品になることです。商品はコモディティ化してしまうと低価格競争に巻き込まれやすく、中小企業が参戦するには厳しい戦いになります。結果として最初に挙げた、ネット価格の相場で利益を出すという条件をクリアすることが難しくなることもあります。ある程度裾野があるものの、一般化しすぎていない商材を選ぶことが大切です。

EC市場に新規参入すると、以前から出店しているショップでは一般的な商材は山ほど売られていることが分かります。あとから出店してもすでに固定客がついているショップや、一般的な商品でも品質は大丈夫という評判が定着しているショップには太刀打ちすることが難しい状況です。あえてコモディティ化から外れた商材を探し出し、新しい客を獲得するほうが得策となります。

ほかにも楽天やAmazonでも売られていてある程度競合が

いる商材や小規模な販売から始める「スモールスタート」をしやすい商材、個人客にも売れる商材は、ECで取り扱いやすい商材になります。

商品コードを取得し商品名を考える

ECサイトに商品を登録する際にはECサイト専用の商品名や商品コードが必要なので、事前に準備しておきます。商品コードとは商品を識別するために商品名をコード化したもので「14PW5-100」のように数字やアルファベットを組み合わせたものです。例えば、Tシャツでも柄や色、サイズなどが判別できるように、ネットショップで管理しているすべての商品に、1つずつ設定されています。商品コードを通常使用しているものと分けるのは、インターネット上で探しやすくなったり、顧客の注文ミスを減らしたりするなどの理由があります。

また、顧客にECサイトで商品を購入してもらうためには、新たに商品名が必要です。顧客が検索する語句は、必ずしも普段使っている商品名であるとは限りません。普段その商品を使っている顧客だけでなく、初めて購入しようとする顧客がそれをなんと呼ぶかを想像し、ECサイト専用の名前を用意してください。

例えば「鋼尺」という、製造業の現場でよく使われるステンレス製の直定規があります。しかし製造業に従事していない人にとって鋼尺という名前はなじみがありません。普段は鋼尺を使わず、名前も分からない人が、もしもインターネット上で鋼尺を探すとしたら、定規、ステンレス定規、ステンレス直尺などのキーワードで検索するはずです。実際に事務用品などを多く扱っている他社のサイトでは「定規」や「ステンレス」というキーワードで鋼尺がヒットするようにつくられています。

また商品名や商品コードから類似商品との違いが分かるようにすることで、顧客の注文ミスを減らす効果もあります。注文ミスは基本的に、似たような商品が複数ある際に発生するからです。150mmの定規を買いたかったのに間違えて300mmのものを注文してしまうとか、A4の用紙が欲しかったのに、間違えてA5の用紙を注文してしまうといったケースです。これらは主に、似たような商品との差が分かりにくい場合に発生します。これがECサイトではなく実店舗であれば、手に取って商材を確認できるのでその場で違いが分かりますが、ECサイトでは商品ごとの差を文字だけで判別しなければいけません。

そのため定規ならば、商品名や商品コードに定規の長さを意味する「150」や「300」を入れたり、用紙ならば「A4」「A5」などの文字列を入れたりすることで、顧客は品名だけでなく商品コードからでも注文内容の確認ができるようになります。

顧客にとって分かりづらく、注文ミスを誘発するようなサイト設計は顧客の体験や成果を損ねるとともに、商品の魅力を損ねます。また、返品や交換など運営側の作業も発生するので、できるだけ避けるよう、ECサイト専用の商品名や商品コードを用意することが大切なのです。

ECサイトに登録する商品は、商品数が多いほうが有利になるといえます。しかし、最初から手を広げすぎるのは労力もかかり大変なので、最初はある程度絞って出品し、徐々に増やしていくほうがやりやすいと考えます。

14　商品の登録方法

商品ページのつくり方

商品の登録は次の場所から行います。

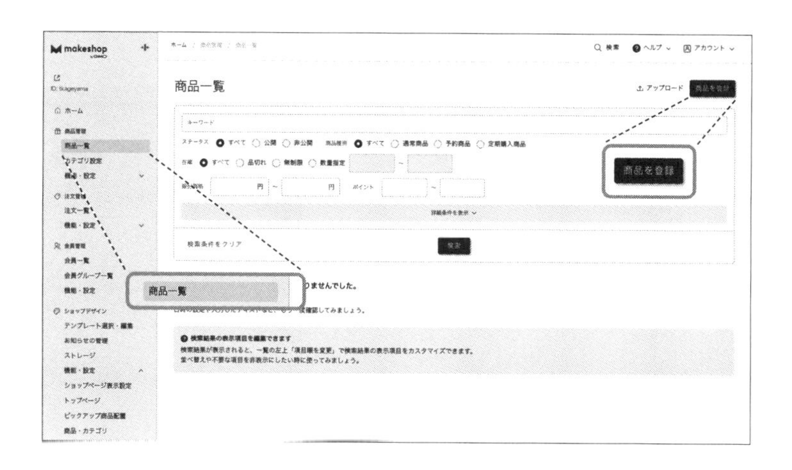

この項目では商品の名称や商品コード、商品の説明、価格や数量などが設定できます。

商品登録

基本情報

ステータス　○ 公開　● 非公開

商品種別　● 通常商品　○ 予約商品　○ 定期購入商品

商品名 255文字以内　必須

独自商品コード 50文字以内

商品説明　閉じる
50,000文字以内　AIで商品説明文を生成す
商品の魅力を伝えましょう

商品追加説明　閉じる
50,000文字以内　AIで商品説明文を生成す
商品の魅力を伝えましょう

商品一覧に戻る　登録

B to B向けであってもB to C向けであっても、ECサイトの商品ページに掲載されている情報は、実はそれほど大きな差はありません。商材の写真や商材の特徴の説明、値段、スペック、類似商品や関連商品へのリンク、そして数量を選んでカートに入れるボタンなどで構成されています。そのため、これらのほとんどの項目は、テンプレートに情報を入力するだけで表示されるようになります。

ただしB to B向けかB to C向けかによって、情報を掲載する順番や強調するポイントには大きな差があります。特にB to B向けのECサイトでは、商品イメージだけでなく、商品の特徴やスペックをとにかく見えやすい位置に配置する必要があります。B to Bで検索する人の多くは業務中であり、少しでも早く商品について理解してもらえれば発注につながりやすくなると考えられるからです。また、検索した人だけでなく複数の関係者が商品の特徴やスペックを共有することもありますので、カスタマイズによってスペックを伝えやすい配置にすることが大切なのです。

また商品ページにはオーダーメイドや商品のカスタマイズに関する情報も入れておきます。例えば、私のサイトでは、バナーからオーダーメイド情報にアクセスできる設計としており、用紙の大きさやミシン目の位置などカスタマイズに応じられることをアナウンスしています。このような仕組みは、新しい取引のきっかけにもなるため重要です。実際に私のサイトではA4やA3などの用紙の規格には適合しない大きさの用紙にミシン目を入れたり、用紙の種類を変更したりするカスタマイズに対応しています。年に1,000件ほどの新規問い合わせがあり、受注率はおよそ70%、そのうち約85%がリピーターになってくれています。また、購入金額と送料、梱包に関する情報など、取引方法についても記載しておくことで、顧客の満足度向上につながります。

15 いつもの営業資料が商品説明文に

惜しみなくコンパクトに見せる

B to B向けECサイトにおいて最も大切なのは、商品の情報をすべて表示するとともに、それらを真っ先に顧客が確認できるようにすることです。

最優先ですぐ見える場所に記載すべきなのは、商品の内容とスペック、それから価格です。それ以外は商材によって変わってくるため明示しにくいのですが、材質や梱包などに関する情報も分かりやすい場所に明示しておくべきです。

また、それらの情報がコンパクトにまとめられ、顧客がすぐに見られるようにしておくことも重要です。情報の掲載量が多くても、長くスクロールしなければ確認できないようでは、業務中の人が検索するB to B向けECサイトとしては望ましくありません。できればスクロールされないファーストビューで、最低でも1回スクロールすれば見える程度の場所に情報をまとめるようにします。

弱みも先に見せておく

近年増えているECサイトでの取引にC to Cがあります。これは個人対個人のやり取りで、個人間での中古品の売買や非常に小規模なハンドメイド品の売買が該当します。

例えば、メルカリのようなフリマアプリで中古品の取引をする場合、汚れや傷については事前に告知しておくのが望ましいとされています。告知がないままに購入し汚れや傷を発見してしまうと、購入者が評価を下げてしまいます。しかし事前に告知されていれば評価を下げられなくて済むのです。

私たちが扱っている紙であれば、重さは弱みの一つです。そのため私のサイトでは、梱包と価格の関係を明記しています。価格が安い梱包の場合、ひとかたまりの重い荷物が届きます。しかし梱包を小分けにし、運びやすい荷物にする場合は少し価格が上がります。このように、先に弱みを明示しておけば、顧客は納得したうえで商品を購入するため、不満につながりにくくなるのです。弱みも先に見せておくのは、顧客に納得してもらい、満足度を向上させる効果があります。

一方で、あえて隠す情報がないわけではありません。例えば、材料の調達先として公にされると業者に迷惑が及ぶ可能性があるときなどは、調達先が判明しないよう情報を隠しておくこともあります。こうした例外もありますが、基本的には顧客がすべて情報を確認できることが信頼につながるといえます。

ユーザーの期待値×満足度

製造業のように、具体的な形のある商材を取り扱っていると、売るのは「商材」そのものだと考えがちです。しかし、私たちが顧客にモノを売るとき、実際には商材だけでなく、それに付随する期待や体験、成果なども一緒に売っているのです。私はこれを以下のように定義しています。

商品 ＝「商材＋期待・体験・成果」

例えば、私はミシン目の入ったプリンター用紙を売っています。商材は用紙そのものですが、顧客が決済を行う際にはさまざまな期待や体験、成果が乗せられているのです。コストパフォーマンスがいいことや、頼んだらすぐ来るという部分は「期待」にあたります。またインターネットから欲しい商品がすぐに見つかり、たどり着きやすかったのであれば「体験」になります。さらに商品を実際に使ってみて、顧客の求める機能を十分に果たせていれば「成果」となります。

このように商品というのは、取引される商材と、期待・体験・成果がセットになって評価されるものなのです。例えば、非常に品質の高い、いい商材があったとしても、それに付随する期待がなければ売れません。プリンター用紙のように「問題なく使えればいい」という品物に対しては、基本的に品質についてあまり過大な期待は発生しません。また体験という視点で考えると、インターネットで探した際に商材が見つからなければ当然売れません。

B to B商材をECサイトで売る場合には、インターネット上から商材を見つけてくれる人と購入を決定する人が異なることも想定し、商材のスペックなどを見やすい位置に記載することを提案しています。これもまた、決済までの「体験」を良くする工夫の一つなのです。

ECサイトを始める際に気をつけておかなければならないのが、商材の成果は商品が届く前に決まってしまうケースもあることです。商材を受け取るまでに時間がかかるなど、購入者の不満がたまっていれば、手元に届いた商材を使った際の成果もネガティブに寄ってしまうこともあると考えられます。

例えば、私たちが飲食店に入って、一つのオーダーに何十分も待たされてイライラしていたら、注文した料理が届いたときに味気なく感じるかもしれません。それどころか、盛り付けのちょっとした乱れすら目について、不満が高まる可能性もあります。これが商材を受け取るまでの体験が悪いため成果がネガティブに寄る例です。人の感情は事象ごとにぶつ切りになるものではなく、連続性を持ったものである以上、こうしたケースは防げません。

顧客の心情がネガティブに寄ってしまうのは、こうした商品が届くまでの過程の問題に限りません。顧客の購買体験をポジティブな要素で埋めようとしすぎても良くない結果を招くことがあります。例えば、商材の期待値を上げすぎると、実際に商材を受け取った際の満足度を引き下げてしまう可能性もあります。

私が扱っているミシン目用紙を例に取ると、ミシン目を切り離す感触は人によって感じ方が多少異なります。私が「最高の感触」と思っていても、顧客が必ずしも同じように感じてくれるとは限りません。こうした場合に「最高の感触」だと強調してあまりに期待値を上げすぎてしまうと、期待値が満足度を引き下げ、商品の価値そのものが低くなることもあり得ます。このように商品の成果が顧客の心情に影響を与える様子を私は次のように考えています。

商品力 = ユーザーの「期待値」×「満足度」

つまり商品力を向上させるために必要となるのは、顧客の満足度をコントロールするためのECサイトつくりです。例えば、私たちが取り扱っているある種類の紙は、500枚で2kgほど、5000枚で20kgほどの重さになります。私のECサイトではこの紙を5000枚注文する際、500枚ずつ小分けに梱包して発送する方法と、5000枚をまとめて梱包する方法の2種類から選べるようにしています。そして5000枚でまとめて梱包する場合は、少し安価になるように設定しています。

なぜこのようにしているかというと、5000枚で20kgという重さは、事務用品として気軽に持ち上げるには少し難しい重量になるからです。2kgならば問題ありませんが、20kgの紙を持ち運ぶのは少し大変だと感じる人が多いと思います。

このような場合、選択肢がなく5000枚20kgの荷物が届いたら、取り扱う人は「重い」と不満に感じるはずです。しかし、商材を選ぶ際に500枚ずつ小分けにする選択肢があり、そのうえで少し安い5000枚20kgを選んだのであれば、同じ重さの荷物を取り扱うことになっても不満の度合いは少なくなります。

これが顧客の満足度をコントロールするECサイトをつくる

考え方の一つです。

16 商品の写真や図の準備

文字だけでは売りにくい

ECサイトで商品を売る際には、基本的に商品の画像が必要です。実際にさまざまなECサイトをのぞいてみると、ほぼすべての商品になんらかの画像が掲載されているのが分かります。

ECサイトでは基本的に商品を直接見るわけではなく、手に取ることもなく買い物をします。そのため商品がどのような形をしているかとともに、色や質感なども伝えるため画像の掲載は欠かせません。

基本的な画像は商品の写真です。特にECサイトに掲載するのであれば、商品の特徴をしっかり伝える写真が必要になります。同じ食材や雑貨の写真でも光の当て方などで印象が変わり、購買意欲につながることもあります。

形や特徴が分かりやすいことが大切ですが、商品のライティングなどにも工夫が必要です。商品の背景も白や黒で統一されていると商品が浮き上がって見えやすくなります。商品が複数あるならば1枚に収めるのではなく、商品ごとの写真が必要です。このような写真は、市販されている簡易的な撮影スペースや撮影ボックス、照明器具などを使って自分で撮ることもできます。

撮影スペースをつくる場合に最低限そろえたいのは、白や黒の単色の背景です。社内にふさわしい壁や床があれば十分ですが、シーツを活用したり、手芸店で単色の布を買って広げたりすることでも対応できます。照明も撮影専用のものでなくてもデスクライトやスタンドライトなどで代用できます。背景や光などの撮影条件を商材ごとに変えず、一定の条件で撮影するだけでも写真の手作り感が減り、より本格的なECサイトに見えるようになります。

小型カメラやスマートフォンのカメラの性能も年々向上しているので、高価な一眼レフカメラを買わなくても上質な写真を撮ることができるようになっています。今はほぼデジタルカメラなので、撮影してその場で写した写真が確認できます。失敗しても何度でもライティングや構図などを試してみて、納得のいく写真を完成させるとよいと思います。

商品ページには、商品そのものの写真だけでなく、発送時の荷姿も一緒に掲載するとより効果的です。事前に梱包状況が分かっているほうが、「これなら配達されるまで商品も安全だ」と顧客の安心につながるからです。そのため私のサイトでは、商品を梱包した写真も掲載しています。

商品の写真（左）と梱包時の商品（右）

500枚以上は500枚ずつ包装

ニッチな商材はイラストや図が助けになる

私たちが扱う紙のなかには、写真では特徴が伝わりにくい商材もあります。そのような場合には、イラストや図を用意します。例として私のサイトで使用しているイラストを紹介します。

簡単なものなら、イラスト用のソフトやパワーポイントなどで自作できます。例えばミシン目入り用紙のミシン目を切っていく場面や、機械の動作を見せたい場合など、場合によっては動画を掲載することで文章で説明することなく伝えることもできます。イラストや図が適している商材の特徴は形状や色の特徴により写真では表現しにくいものや、あまり知られていないため理解が得にくいものが挙げられます。

独力でイラストや図を用意するのが難しい際は、ココナラやランサーズのような「スキルマーケット」を活用すれば、比較的安いコストで少量からの依頼が可能です。スキルマーケットとは、個人の技術や知識を活かしたサービスを利用できるサイトです。出品者は主に個人事業主や副業、ちょっとした隙間時間を活かすための仕事をしている人で、イラストの作成や翻訳、デザインなどを依頼することができます。

ECサイトに利用するイラストは、このようなスキルマーケットを活用すれば、イラストの大きさや手の込み具合にもよるものの、数千円程度から依頼が可能です。またECサイトに利用できるボタンやバナーの作成を請け負ってくれる人もいます。

Webデザイナーなどにサイト全体のデザインの制作を依頼すると、どうしても依頼料がそれなりの額になってしまいます。しかし大部分を自分でつくることにして、苦手な部分のみ外部に依頼するようにすれば、少ない予算でできるようになるのです。テンプレートをベースに自分でつくっていくのが基本ですが、必要に応じて外部へのアウトソーシングも活用すると、ECサイトをより早くスタートすることができます。

17 商品カテゴリーの注意点

カテゴリーは訪問客目線で分ける

ECサイトでは、各商品ページを相互にリンクしたり、顧客が商品を探しやすくしたりするために、商品をカテゴリー分けする必要があります。カテゴリーは商品のコンセプトの一部をつくるものでもあります。

ECサイトのカテゴリーには、基本カテゴリーと検索カテゴリーの2種類の考え方があります。

基本カテゴリーは、顧客目線を持ちつつもどちらかというと販売者のイメージに近い分類です。例えば紙ならば、用紙の大きさなどで分けていきます。基本カテゴリーは､大カテゴリー、中カテゴリー、小カテゴリーのように階層化しながら商品を分類していきます。

検索カテゴリーは、顧客目線のカテゴリー分けです。顧客がショップ内で商材を探すとき、どのような基準で探すかを想定し、その基準ごとのカテゴリーを作成します。例えば紙ならば、A4、B5といった用紙のサイズで探す人もいますし、用紙の厚みで探そうとする人もいます。あるいは給与明細用紙や年末調整用紙、棚卸伝票用紙など、紙の用途で探す人もいるかもしれません。このような検索要素ごとにもカテゴリーを分けることで、顧客利便性につながります。

基本カテゴリーと検索カテゴリーに共通しているのは、顧客目線での設計が必要な点です。この際にも競合サイトの調査が役立つはずです。競合サイトではどのようにカテゴリーを分けていたか、そのサイトは探しやすかったかを振り返りながらカテゴリー設計を行います。

カテゴリー樹形図

カテゴリー設計を行う際には、まずは全体の分類を手書きでもいいので図にしてみます。例えば、私たちが運営するECサイトのカテゴリー樹形図は次のようになっています。

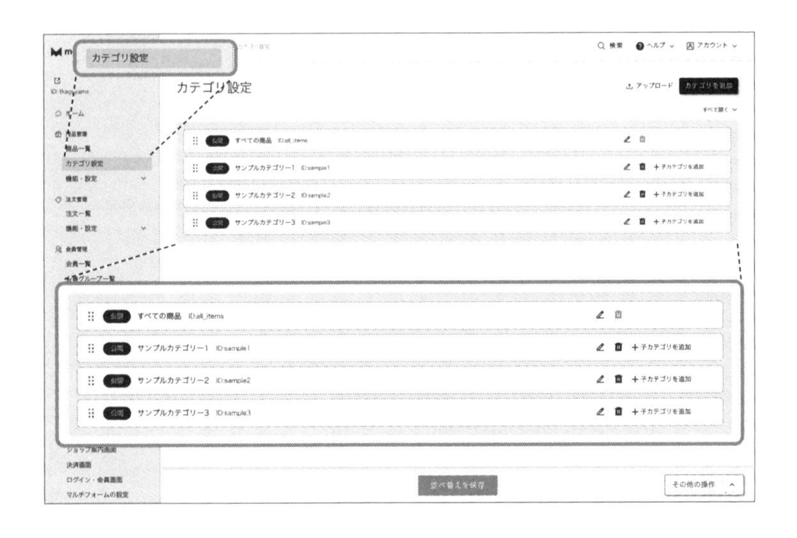

商材によっては樹形図ではなく、縦軸と横軸のカテゴリーからなるマトリクスの場合もあります。カテゴリー設計は、顧客

がサイト内で類似商品を探す際の非常に重要なポイントになります。顧客目線が想像できない場合は、取引先の意見を聞いてみるのも手段の一つです。

カテゴリーのつくり方

makeshopでカテゴリーをつくる際にはカテゴリー設定のページから始めます。

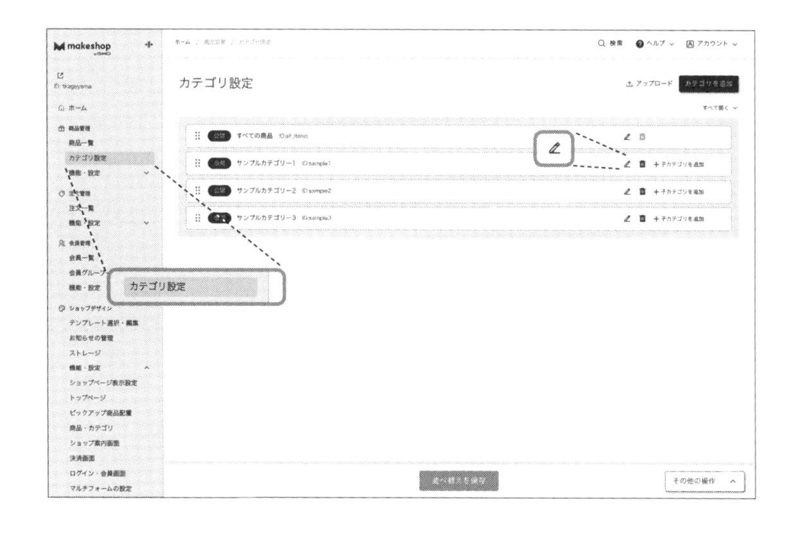

カテゴリー右側の編集ボタン（鉛筆のマーク）をクリックするとカテゴリー名やカテゴリーのIDを編集できる画面が開きます。

カテゴリの編集

ステータス

公開

非公開

カテゴリ名 必須 100文字以内

サンプルカテゴリー1

カテゴリID 必須 32文字以内/半角英数字が入力可能

sample1

ページURL

http://tkageyama.shop13.makeshop.jp/view/category/sample1

カテゴリIDをそのままページURLにする

追加URL 254文字以内／機種依存文字、半角カタカナは使えません

http://tkageyama.shop13.makeshop.jp/

また、カテゴリーの右側の「＋子カテゴリーを追加」をクリックすることで子や孫カテゴリーがつくれます。これによりカテゴリーが枝分かれして樹形図になっていきます。

18 ソースコードを活用してアレンジ

アレンジ前に知っておきたいこと

テンプレートをアレンジしていく前に、まずはWebサイトをレイアウトするうえで知っておくべき知識をいくつか整理しておきます。まずはWebサイトの各部分の名称と役割です。

・ヘッダー　：サイト上部にあるサイト名などを表示する部分
・メニュー　：利用者が選択できる操作の一覧
・メインコンテンツ：Webページのいちばん重要な情報を伝える部分
・サイドバー：コンテンツの左右に配置されるブロック
・フッター　：企業情報などが配置されるページの最下部の部分

私が管理しているサイトを例にすると、次ページの場所です。

ヘッダーはサイトの上部に表示されるものです。ECサイトの名前やサイトのキャッチフレーズなど、ECサイトを印象づける素材を表示します。私はこのエリアをいちばん伝えたいことを配置する場所と考えています。

メニューリストはヘッダーの下やページの左端、右端などに表示されるバナーで、ここからほかのページに移動します。ECサイトの場合、ヘッダーの下に配置するケースが多く、会社概要や利用案内、問い合わせなど、商品を表示するページとは別に、顧客が「見たい」と思ったときにつながるようにしておきます。こうしておくと探すことなくページが表示されるため、顧客にとってサイトの利用しやすさが向上します。

メインコンテンツは、名前のとおりページの内容です。ECサイトならば各商品の紹介で顧客が知りたい情報を見やすく表示することが大切です。

サイドバーはページの右端か左端に表示されるエリアです。メニューが左端に置かれる場合には右端にサイドバーが配置されるケースもあります。ECサイトの場合には商品をカテゴリーに分けて配置し、顧客がサイト内を回遊する際にガイド役になります。

フッターはサイトの下部に表示されるエリアです。ページの締めくくりの役割をもち、ECサイトではご利用案内とともに企業情報などを表示しておくとサイトの利便性と信頼性につながります。

ソースコードを調整して理想のアレンジ

これらの各パーツをさらに理想のサイトにするために、ソースコードを調整する方法があります。ソースコードとは、コンピューターでプログラムをつくる際に、「どんな動作をさせたいか」という処理の内容を書いたテキストファイル（文字列）のことです。

ソースコードというと、アルファベットや記号が並んで難しいと考える人も多いと思いますが、今は小学校でもプログラム教育が必修化され、ソースコードに触れる児童もたくさんいます。文字列のどこにどんな情報があるかなど基本さえ身につければ、難しいものではありません。サイトを訪れる顧客にとってより魅力的なサイトにするために身につけてほしいと考えます。

ASPカートシステムのテンプレートにあるソースコードを編集する際、makeshopの場合は、下記の場所から編集モードに入ります。ASPカートシステムによって、ソースコードを編集するページの開き方は異なり、makeshopであってもアップデートされてボタンの位置などが変わる可能性があるため、必ずしもこの方法でたどり着けるとは限りません。しかし編集

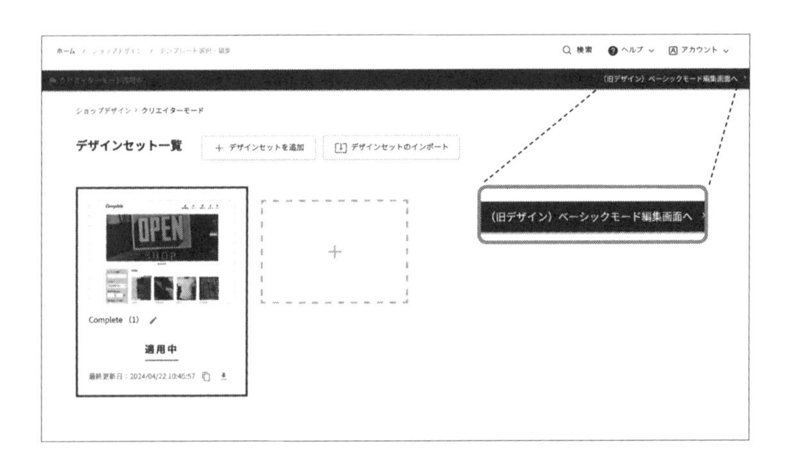

可能なテンプレートを使用していれば、ソースコードにアクセスすることができます。

ソースコードを編集する際は、ヘッダー、サイドバー、メインコンテンツなど部位ごとに分けて編集していきます。作業する際は、まず初めに元々記述してあるソースコードをコピーし、メモ帳などに貼り付けて保存しておきます。基本的な作業としては、編集画面に直接ソースコードを入力したり、部分的に手直しをしたりしていくため、万が一デザインやレイアウトが崩れてしまった場合、その原因が分からなければ、ソース

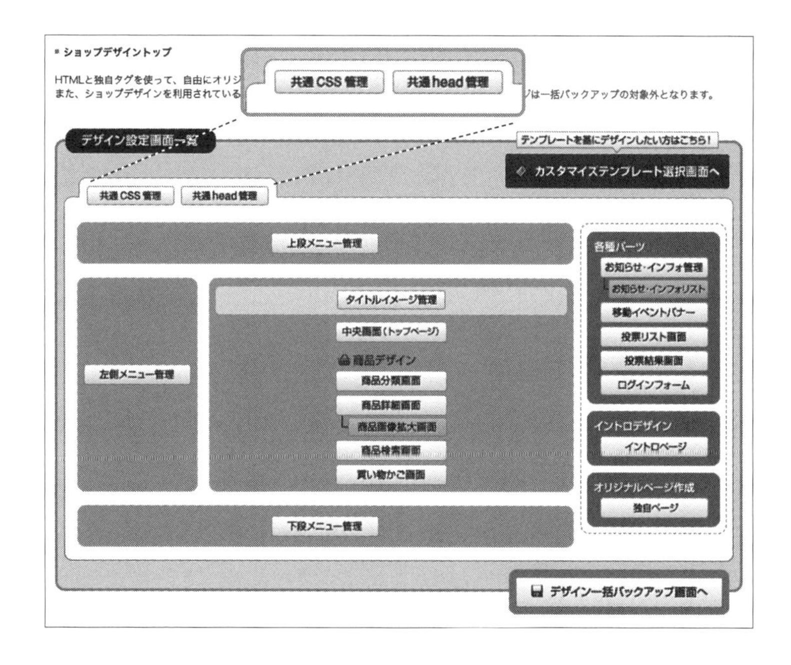

コードを元に戻す必要があります。その点、いつでも復元できる状態にしておけば、ソースコードについて初心者の方でも、ソースコードを書き換えたり、追加したりが気軽にできるので、安心です。

ソースコードの役割について

ソースコードはパソコンを動かすためのプログラミングでもあり、この文字列によって、Webサイトの画面上のどこに何を表示するかをコンピューターに指示しています。

例えばパソコンでインターネットを閲覧する際、まずはサーバーに保存されたソースコードがパソコンに送られてきます。そして私たちのパソコンがその命令どおりに動くことで、モニターに画像が表示される仕組みとなっています。

Webサイトのソースコードは主に次の3種類から構成されています。

ソースコードの役割

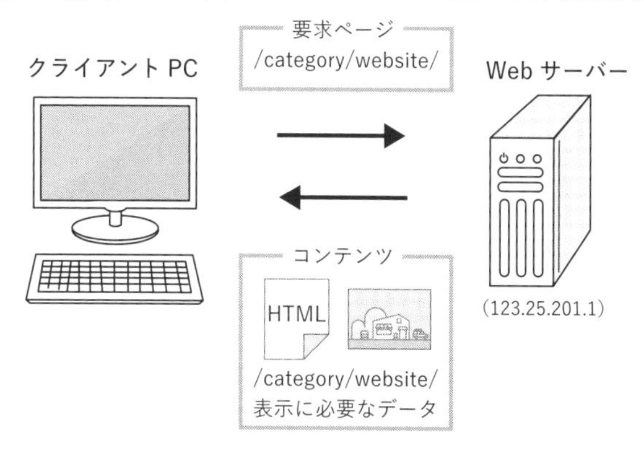

だえうワードプレス「Webページ表示の仕組みと表示までの流れ」を基に作成

・HTML（Hyper Text Markup Language）

コンテンツの構造を表すものです。「これはタイトルです」「これは本文です」などを意味する印をつけて、見出しや画像などを表示するよう指示します。< >で文書をはさむHTMLタグとして使うことが多いです。

・CSS（Cascading Style Sheets）

スタイルシートともいい、ページをどのように表示するかを表すものです。HTMLで指示した構造に対しデザインを加えるイメージです。レイアウトや背景、色などを設定することができます。

HTMLとCSSを組み合わせると下図のような感じになります。

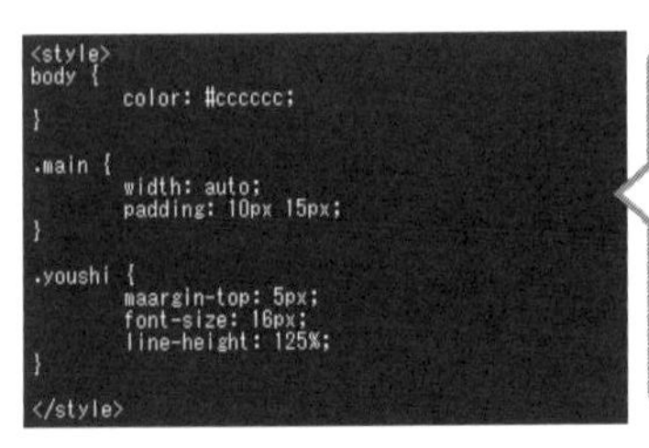

styleタグ内にこのようなコードを書きます。書き方は後で説明するので、そのまま書き写せばOKですが、ざっくりと「bodyタグ内の**文字色(color)**を**グレイ(gray)**に」という意味になります。

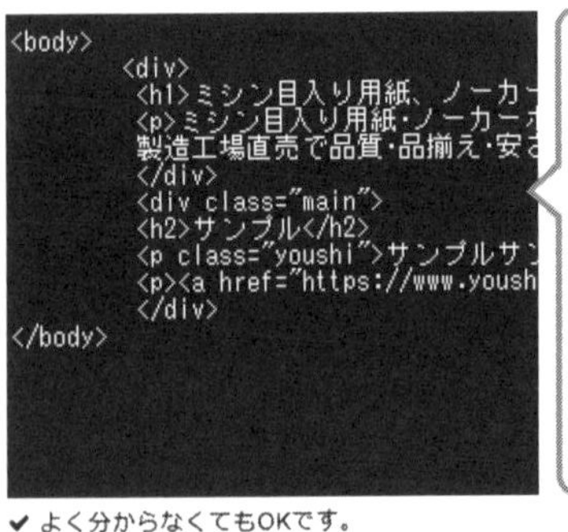

ここでbodyタグを見てみましょう。`body {~}`という指定は「**bodyタグ内にある全タグのデザインを変えるよ**」という意味になります。「bodyタグ内＝ブラウザに表示されるもの」でしたね。つまり、このCSSコードは「ブラウザに表示されている文字の色を全部変えるよ」という意味になります。

✔ よく分からなくてもOKです。

・JavaScript

表示される画像の大きさを変えたり、動きをコントロールしたりするものです。点滅するボタンやポップアップ、自動再生されるアニメーションのコントロールを行います。

ヘッダーでのソースコードの活用方法

私のECサイトのヘッダーは、文字やバナー、画像などを組み合わせて次のように構成しています。

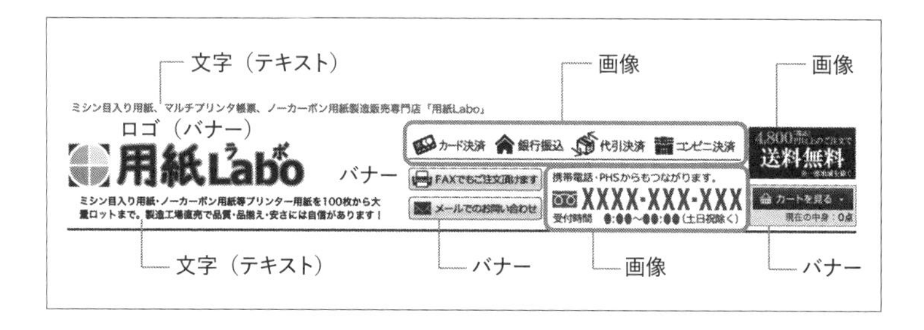

テンプレートの状態では、上部に薄く「ミシン目入り……」と表示されているテキストや、下部のテキストとサイト名ロゴのバナー程度しか入力することができませんでした。そのためソースコードを編集して「FAXでもご注文頂けます」と表示されているバナーや、「メールでのお問い合わせ」のバナー、決済方法を表示した画像などを追加していきました。このようにソースコードを編集すると新しいパーツを加えることができます。

サイドバーでのソースコードの活用方法

多くのASPカートシステムでは、テンプレートの状態でも商品のカテゴリーが自動的にサイドバーに表示されるようにつくられています。しかしデフォルトで表示されるのはあくまでもサイドバーのみであり、左図のようなバナーを表示することはできません。

顧客の利便性を向上させるため、私は商品検索のボックスを表示させたり、メニューに入りきらなかった情報をバナーとして表示させたりしています。そのためにソースコードを編集しています。

私はこの上部に商品検索用のボックスや、ご利用案内、運営会社情報などへのバナーを表示させるよう文字列を追加しています。例えば、検索ボックスの大きさは

```
<div style=” width: 200 px; padding: 5 px;
```

という文字列で指定しています。さらに検索ボックスの色を指定するために、検索ボックスの大きさを指定する文字列のあと

に以下の文字列を記載しています。

```
0px solid #2673B6; background-color: #2673B6; color: #ffffff
```

#2673B6や#ffffffはカラーコードと呼ばれる文字列で、色ごとに文字列が定められています。このカラーコードを活用すれば、ページ上のエリアや文字の色などを指定することができます。検索ボックスの表示を指定するソースコードの文字列の下には、それぞれのバナーのリンク先と、バナーに使う画像を指定している文字列が続いています。

メインコンテンツでのソースコードの活用方法

私のサイトの場合、メインコンテンツの構成は次の図のようになっています。

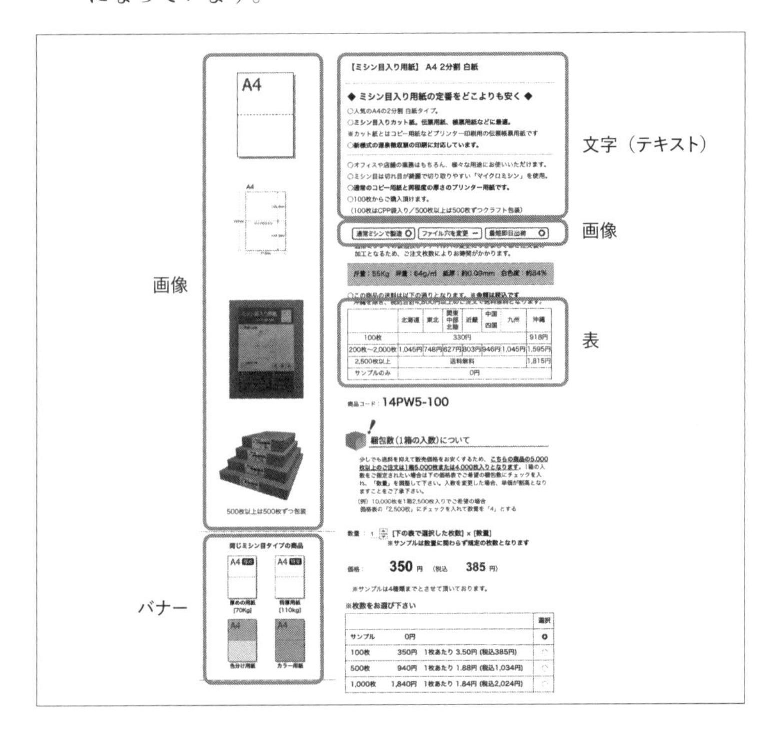

この表示の特徴は、メインコンテンツが縦の２つのエリアに分かれていることです。少ないスクロール幅で多くの情報を提供するためにこのような工夫をしているのですが、メインコンテンツのエリアを分ける際には、「グリッドレイアウト」とい

グリッドレイアウト

う方法を使います。グリッドレイアウトとは、テキストや画像などを格子状に配置するレイアウト手法で、元々は新聞や雑誌などの印刷物でよく用いられてきました。

本来の表示エリアの中にグリッドラインを引き、区切られたセル（マス目）の中に、テキストや画像、バナーなどのコンテンツを表示させていきます。エリアをグリッドセルに分割するためのソースコードはTableタグを使っています。

これにより、メインコンテンツエリアのうち左側1／3を画像やバナーなどのエリアに、右側2／3をテキストや表などのエリアに分けることができます。私のサイトでは、左側1／3のところでエリアを仕切っていますが、エリアを仕切るか仕切らないか、仕切るのであればどのようなバランスにするかは、それぞれのECサイトによって異なります。

メインコンテンツのエリア内に表を挿入するためのソースコードもTableタグです。このように表を挿入することもできますが、ASPカートシステムで使用できるテンプレートでは、基本的に表は挿入できません。使う人の目的によってセルの数や大きさ、配置などがバラバラになってしまうためです。テンプレートのように汎用性が求められるものは表まではカバーされていないのです。しかし、このように自らカスタマイズを行うことで、自分の好きな形の表を挿入することができます。

ほかのサイトのソースコードの見方

ソースコードの扱いにある程度慣れてきたら、ほかのサイトのソースコードを見ることを勧めます。Web上で公開されているサイトであれば、基本的にサイトを構成するソースコードを見ることができます。ライバルとなるECサイトだけでなく、インターネットで気になったサイトや、まねしてみたいと思った表示方法があった場合、そのサイトのソースコードを見ることもできるのです。

Windowsの場合は「Ctrl + U」、Macの場合は「Command + Option + U」の入力で、現在見ているページのソースコードを確認できます。Google Chromeを使用している場合は、サイト上で右クリックからでもソースコードを表示することができます。

この方法を使うと、気になったサイトとそっくりのサイトをつくることも不可能ではありません。しかし、あまり似せすぎるのは、ECサイトの信頼性を損ねる原因になりますし、ほかのサイトのソースコードはあくまでも参考にとどめておくべきです。

19 ECサイトをオープンする

商品の注文から配送までの流れ

ECサイトは、サイトが出来上がってもスタートできるものではありません。受注業務、商品のピッキング・梱包作業、発送作業、納品書や領収書、請求書などの書類を処理するなどの業務も必要です。そうした業務に対応する人員を決めておくとともに、作業の手順やフローも整えておかなければいけません。すぐには準備できませんので、注文が入ってから慌てないように、ECサイトを構築している間に、こうした準備も進めておくことが大切です。また、ECサイトを運営していくためには、次のようなものも準備する必要があります。

・納品書、領収書、請求書などの書類
・同梱物（チラシ、広告、サンプルなど）
・梱包資材
・受注システム／管理システム

実際の取引と同様に、ECサイトで商材をやり取りする際も、納品書や領収書などの書類を発行しなければいけません。このような書類を、誰がどのように発行するか仕組みをつくっておく必要があります。受注に対し、一つひとつ手動で対応する方法もありますが、連携システムを導入する方法もあります

意外と忘れてしまいがちなのが商品の説明や購入者への手紙、セールの案内などのチラシです。このような同梱物も、事前に用意しておいたほうがよいです。チラシやセールの案内は、通常の取引で顧客に渡しているものがあれば、同じものを同梱すれば十分です。購入者への手紙や商品の説明は、簡単なものならWordなどでもつくれます。より手の込んだ同梱物をつくりたい場合には、Canvaなどのwebサービスを活用する方法もあります。

ECサイトを開設すると、普段の取引とは違う数量や場所への発送も増えます。そのためECサイト専用の梱包資材も必要です。例えば私のECサイトでは、サンプルの発送や100枚だけの注文なども受け付けています。これは通常の取引ではあまり行わない少ないロットでの発送になります。そのためサンプルや100枚だけの注文については通常の配送会社ではなく、ゆうパケットを利用しています。ゆうパケットは通常の発送に使っているダンボールではなく、厚さ3cm以内に収めるために封筒に入れなければいけません。このように通常の取引とは異なる発送が発生する場合もあります。ゆうパケットを使うならば、商品やサンプルを発送するための封筒を用意しておくなど事前の準備が必要です。扱う商品の形状や性質に合わせ、封筒やダンボール、パレット、緩衝材などを用意しておく必要が

あります。

ECサイトで発生する受注作業では、社内で実際の取引で使っていた受発注管理システムと、ECサイトでの受注をどのように連携していくかを考える必要もあります。

一般的に製造業ではモバイル端末などから発注するEOS（電子発注システム）やEDI（電子データ交換）受発注管理システムを使っているケースもあるかと思います。しかしECサイトでの取引はあくまでもWebサイトを介しての取引となり、決済方法もクレジットカード決済などこれまでの通常業務では扱いがなかった支払い方法も多々あると思います。そのため、これまで使ってきたシステムをそのまま使うのは難しくなる可能性が高いといえます。私の場合は、既存の取引用の受発注管理システムとECサイト用の受発注管理システムはそれぞれ独立させて運用する方法を採用しています。

さらに、受注してから発送する、納品書や領収書、請求書などの書類を処理するなどの業務を行うためには、業務を行う人員を確保するだけでなく、作業の手順やフローも整えておかなければいけません。ECサイトを開設したからといって、突然大量の注文が入ることはまずありません。ですから最初のうちは、Eexcelなどを使って作った簡単な受注システムでもいいですし、ECでの受発注専用の人員を割く必要はありません。とはいえ、なんの準備もしていなければ、いざ注文が入ったときに慌てる原因になりますし、注文が増えても場当たり的な対応を繰り返す原因になってしまいます。また、インターネットだけでなくメールやFAX、電話でも注文を受けるのであれば、ネット販売事業専用のシステムを導入したほうがよいです。なぜなら、makeshopではインターネット販売の売上しか分からないからです。ECサイトを構築している間に、このようなバックオフィスの調整も進めておくことが大切です。

入金の確認と発送準備

発送業務には、自分たちで在庫をピッキング、梱包して発送する方法と、倉庫会社に商品の保管と発送を依頼する方法があります。

自社で製造している商品をECサイトで出品する場合には、基本的には自社発送を行ったほうがいいと考えます。ECサイトでは通常の取引に比べ、今までなかった場所や数量の発送も増えますが、発送の業務自体は通常の取引と同じです。最初から大量の注文が入るとは考えにくいので、今まで行っていたピッキングと梱包、発送業務にそのままECサイトでの注文分を組み込めば十分です。

在庫の管理や発送業務をもともと倉庫会社に任せていた場合は、そのまま依頼する方法もあります。ECサイトだからといって急に自社で発送を行おうとすると、社内にその仕組みを新しくつくらなければいけません。元から倉庫会社を利用している企業は、自社敷地内には在庫を保管しておけるスペースがないか、通常の発注量が不安定で自社で発送業務を行う人員を確保するには効率が悪いなど、さまざまな理由があるはずです。そのため通常の取引での発送業務を倉庫会社に依頼している場合は、そのまま倉庫会社に任せてしまうほうが無難です。

ECサイト用に新しく配送業者を選定する場合、製造業がよく利用しているのは西濃運輸です。私のECサイトでは、配送業者として日本郵便、西濃運輸、佐川急便を指定しています。なぜならこれらの業者は、荷物に対する保険や、荷物がどこにあるかを追跡するトラッキングサービスなどがあるからです。こうした付属サービスは顧客に安心して使ってもらうための重要なポイントになります。送料については、現在指定している配送業者に交渉することにより、最安になる可能性があります。

配送業者が決まったら、集荷の手はずなども整えます。B to BのECサイトがB to CのECサイトと異なることの一つに、代金引換（代引き）の割合が高いことが挙げられます。代引きを行うためには配送業者と事前に契約する必要があります。例えば日本郵便であれば、事前に送金口座を指定することや差出人の氏名や所在地の確認が必要です。西濃運輸では、最寄りの営業所で事前に打ち合わせが必要です。このような手続きは注文が入ってからでは間に合いませんので、サイトの構築中に必ず行う必要があります。

サイトを構築し、社内の調整や配送業者との契約なども終わったら、いよいよECサイトのオープンです。とはいえこれでECサイト構築のすべての作業が終わるわけではなく、むしろここからが本格的なスタートです。

ECサイトをオープンさせたら、まずは既存顧客に案内を出します。なぜならECサイトをオープンしたからといってすぐに売れるものではありません。基本的にECサイトでは、インターネット検索からサイトを訪れて購入してもらいますが、サイトをオープンした直後は、検索だけではなかなか顧客の獲得にはつながりません。そこで既存顧客の力を借りるのです。

既存顧客はECで販売されている商材と同じものをすでに使っている人たちです。つまりECサイトをオープンしたと告知さえしておけば、なんの関係もない人に比べれば、強い興味をもってECサイトを見に来てくれるはずです。ECサイトに便利さを感じてもらえたならば、そのまま購入してくれる可能性も高いといえます。

さらに既存顧客にECサイトを見てもらうことで、最初の訪問者も生まれます。インターネットの検索において、上位に表示される条件の一つに、サイトを訪れる人の数も含まれています。ですからたとえ購入に至らなかったとしても、既存顧客が興味をもってECサイトを訪れてくれることは、SEO的にも有利になるのです。

加えて既存顧客ならば、担当者などと直接的なつながりが存在するケースも多いため、機会を見てサイトを訪れた感想を聞いてみるのも、今後サイトを改善していくうえでの貴重な情報になります。

ECサイトを構築する目的の一つは、新規顧客を開拓することであるため、既存顧客をECサイトに呼び込むのは無駄だと考える人もいると思いますが、このようにECサイトを成長させていくうえで、非常に大きな助けになる存在でもあります。ECサイトをオープンしたら、ぜひ既存顧客にも案内を出すべきです。

20 特定商取引法と著作権について

知っておくべき特定商取引法とは

ECサイトは特定商取引法の対象になります。特定商取引法とは、消費者がトラブルに巻き込まれないよう、事業者側が守るべきルールを定めたものです。特定商取引法により、ECサイトでは事業者名をサイト内に公表することや、虚偽や誇大な広告の禁止などが定められています。特定商取引法は、次のような取引を対象としています。

・訪問販売：消費者の自宅等に訪問して商品等を販売
・通信販売：郵便や電話、Web 等で商品等を販売
・電話勧誘販売：消費者の自宅等に電話して商品等を販売
・連鎖販売取引：勧誘した個人にさらに勧誘させるなど連鎖的に組織を拡大して商品等を販売
・特定継続的役務提供：長期・継続的にサービスを提供し、高額な対価を契約する取引

・業務提供誘引販売取引：収入が得られると消費者を誘って仕事に必要だとして商品等を売って金銭負担させる取引
・訪問購入：消費者の自宅等を訪れて物品を購入する取引

ECサイトはこのなかの「通信販売」に該当します。ですからサイト内に特定商取引法に基づいた表記を入れなければいけません。

makeshopをはじめとするASPカートシステムは、特定商取引法に対応しており、法律上必要な項目に対応する入力フォームが整えられています。例えば販売事業者名や責任者の氏名、事業所の所在地、連絡先、商材の料金、返品に関するルールなども、特定商取引法によりサイト上に表示しなければいけません。

特定商取引法に違反した場合、最大で3億円以下の罰金が科される可能性や、業務停止命令、業務禁止命令などの行政処分が科される可能性もあります。しかしここまで重い罰を科されるのは、元から消費者をだますつもりだったなど悪質な場合がほとんどです。誠実な取引を行っているうえで、何かの表記が漏れていたなどの場合には、そこまで大ごとになることはまずないと思われます。

さらにASPカートシステムを使用していれば、基本的にこれらをすべて記載しないとサイトをオープンできない仕組みになっています。ですからASPカートシステムを使っている限りは、あまり心配する必要はありません。必須項目をすべて正しく入力すれば特定商取引法に即したサイトがつくれるようになっていますので、必要とされている項目を丁寧にすべて入力すれば問題ありません。

著作権について

著作権法とは、著作物を創作した著作者の権利を保護し、著作物の公正な利用を確保する目的で定められた法律です。

ECサイトを構築する際には、写真や素材、文章などが必要になります。しかしそれらをつくる際には、ほかの権利者が所有するサイトの写真や素材を勝手に保存したり、文章をそのままコピーしたりして利用してはいけません。

特に注意が必要なのが、競合する企業のWebサイトに掲載されている文章のコピーです。同じ商品を扱っていると、商品の説明や注意事項がある程度似た内容になってしまいます。しかし、競合他社のサイトの文章を引用することは厳禁です。顧客は商品を探すために複数のECサイトを見て比較することもあり、同じ文章が使われていることにすぐ気づき、「この会社は不正な行為をする会社だ」と思われてしまいます。実際にある商品について調べていた際に、本来ならばまったく関連がない2つの会社のサイトにまったく同じ文章が使われているのを発見したことがあります。どちらが文章を盗用したのかは分かりませんが、どちらかが不誠実な行為をしている事実は明白でした。ECサイトをつくる際は、必ずオリジナルな文章を用意する必要があります。

サイトを構築する際、インターネット上から使えそうな素材を探してくるのも、構築にかかる費用を抑えるうえでは大切なことです。しかしその際、使用する素材が著作権に抵触しないか確認する必要があります。

特に写真やイラストの場合、フリー素材を提供するWebサイトからダウンロードすることもできます。しかし、本来なら製作者に権利があるはずの写真やイラストが勝手にフリー素材サイトにアップロードされているケースもあります。実際にある広告をつくる際、デザイナーが探してきたイラスト素材が、実は権利者の承諾を得ずに違法にアップロードされたものだったことがありました。このときはイラストの製作者が街中に貼られた広告を見て気づいてSNSに投稿したことで、大きな騒ぎになりました。フリー素材サイトでは、このようにあとからトラブルになったケースも発生しています。フリー素材サイトを利用する場合は、同じ画像やイラストがほかのサイトにもアップされていないか調べることも必要です。

こうしたトラブルを避けるためには、有償の素材サイトを活用することも考えるべきです。有償素材の場合、素材をアップロードした人はサイト管理者に対して氏名や住所などを提出する場合が多く、違法にアップされるケースは少ないといえます。さらにアップロード者として登録する際に自作ではない素材はアップロードしないという契約を結ぶなど、管理がきちんと行われています。

費用は使用する写真やイラストの素材の大きさ、数によっても変わりますが、例えばAdobe Stockのような有償の素材サイトでは、1枚数百円程度から素材を購入することが可能です。安心のために有償の素材サイトを利用することも有効な手段といえます。

プライバシーポリシーについて

Webの端にあるプライバシーポリシー（privacy policy）という文字をクリックしたら文書のページに飛ばされたことや、ネットショッピング中に「プライバシーポリシーに同意する」というポップアップが上がってきて、同意しないと次にいけなかった、などの経験をしたことがある人は多いと思います。プライバシーポリシーとは「このサイト上で集めた個人情報をどのように利用するか」を説明した文章のことです。「個人情報保護方針」と表示してあることもあります。サイト運営側が知り得たお客様の個人情報をどういう目的で、どの範囲で、どんなルールにのっとって利用・保護するかなどを記載しているため、どのECサイトでも必要になります。

ASPカートシステムのユーザーには、システムがあらかじめ用意した文章が提供されるため、自分で作成しなくても大丈夫です。ただし、内容確認は必須です。用意されているプライバシーポリシーは、そのシステムを使っている全ユーザー用なので汎用的につくられています。自分のサイト独自の項目がある場合は特定商取引法のページに追加します。

Chapter 3

構築したECサイトで
確実に新規受注を獲得する!
ニッチな商材を売り込むための
勝ちパターン

21　ECサイトは集客が命

人が来ても買ってもらわなければ意味がない

当たり前のことですが、ECサイトで売上を伸ばすためには、ECサイトにユーザーを呼び込むことが必要です。

ユーザーは主にインターネット上で欲しい商品を検索して、その結果を見てECサイトを訪れます。しかし検索結果に自社のECサイトが表示されなかったら、誰も訪れてくれません。ECサイトをつくったあとは、訪れてくれる人を増やすための施策が必須です。

ECサイトをオープンしたら、まず自社のホームページだけでなく、ブログやインスタグラム、フェイスブックなどのSNSにECサイトのアドレスを添えて告知すべきです。オープンを知らせる記事の中や、Webサイト上で常に表示されるバナーにリンクを貼っておけば、少し興味を持った人が来店してくれる可能性があるので、既存のメディアを使わない手はありません。

そうしたネットでの宣伝、告知はいつでも実行できますし、リンクをたどった誘導と来店につながります。費用もタダなので大いに活用すべきです。さらに可能ならば身近な人たちにも協力してもらい、SNSでの拡散をお願いすることも有効です。

割引や特典を用意して期限を決めたオープニングキャンペー

ンを企画することも効果が期待できます。大きな利益にはつながらなくても、最初に注目を集めてお得感をもってもらえれば、固定客も獲得できると思います。

ただし、ECサイトは企業ＰＲのコーポレートサイトやブログなどのように、多くの人に見てもらうことが目的ではありません。ECサイトを訪れた人に商品を購入してもらって意味を持つものです。そのためECサイトで売上を伸ばしていくためには、訪れた人が商品を購入する確率を上げなければいけません。

この方法はいくつか考えられます。

まずは商品の魅力を向上させることです。ここで注意したいのは売り手から見る「商材」の魅力を上げるのではなく、客側から見る「商品」の魅力を上げることです。もちろん商品に新たな付加価値をつけたり、新しい商品を開発したりして売上の増加につなげることも大切です。しかしECサイトで商品を買ってもらうためには、むしろ商品の買いやすさや、商品を買うことによる満足度を向上させて商品の魅力を上げることが大切です。

もう一つは、本当にその商品を求めている顧客に確実にECサイトに来てもらうことです。そのためには商品名やカテゴリー名に、顧客が検索エンジンなどから入力するキーワードを入れます。そしてそのキーワードが本当に検索のときに使われているかなどを検証していきます。

ECサイトをはじめるにあたっては、最初からシェアNo.1を狙う必要はありません。少額でも小まめにお金が入る仕組みを構築できればいいと考えるべきです。私がECサイトを構築していくうえで最初に掲げた目標は、他社のシェアを少し分けてもらい、少額でも会社の資金繰りにつながる売上を得ることでした。この目標はECサイトオープン後も変わっていません。

とはいえ、ECサイトの運営がある程度軌道に乗ってきたら、より上を目指したくなるものです。そこからさらに売上を伸ばせるようECサイトの改良を重ねることになります。

22 ASPカートシステムなら売上分析も簡単

売上の推移や売れ筋商品も一目で分かる

makeshopの場合、管理画面にログインすると、最初の画面に、売上や商品ごとの売上ランキング、売れ筋商品などが表示されます。インターネット注文だけでなくメールやFAX、電話での注文も受け付けるのであれば、makeshopではネット販売サイトで注文された売上しか分からないため、ネット販売事業専用のシステムを導入したほうがいいです。

また同じ画面から月ごとの売上も表示できるため、月間での売上の推移も確認できます。

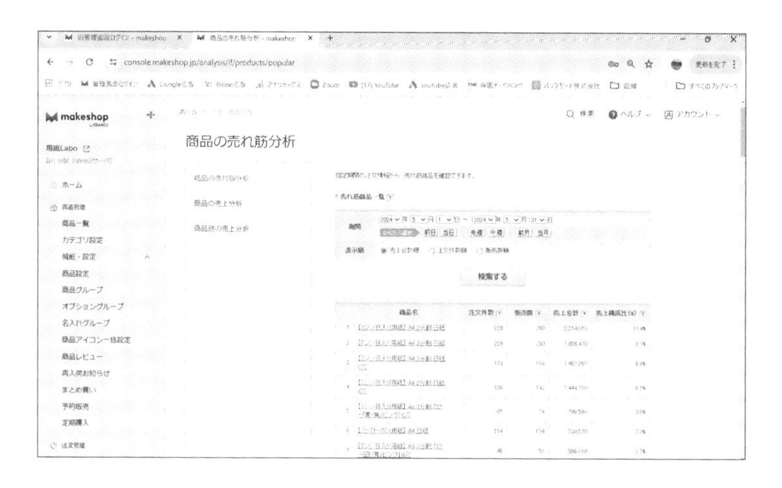
console.makeshop.jp/analysis/if/products/popular
makeshop
用紙Labo
商品の売れ筋分析
ホーム
商品一覧
カテゴリ設定
機能・設定
商品設定
商品グループ
オプショングループ
名入れグループ
商品アイコン一括設定
商品レビュー
再入荷お知らせ
まとめ買い
予約販売
定期購入
検索する
商品名
注文件数
販売数
売上合計
売上構成比(%)

console.makeshop.jp/dashboard
makeshop
用紙Labo
ホーム
商品一覧
カテゴリ設定
注文一覧
会員一覧
会員グループ一覧
テンプレート選択・編集
お知らせの管理
ストレージ
商品分析
注文サマリー
1,560,966円
118件
会員数：男女比
21,015名
ランキング：売上金額
ランキング：注文数

ECサイトではない場合、売上ランキングや売れ筋商品、売上の推移などは、受発注のデータから自力でエクセルなどを使って並べ替える作業が必要です。しかしASPカートシステムの種類によって、こうした基本的な統計は自動で取得、表示してくれるものもあります。自動で表示されれば自力で調べる必要はありませんし、集計中にミスが発生することを防ぐこともできます。特にECサイトを運営していく際、ECサイトでの売買を通常の取引で使っている受発注システムで処理しない場合、ECサイトで売上やランキングを自動で集計してくれる機能は、非常に便利なものになります。

こうしたデータは、ネット市場での需要を知るだけでなく、例えば販売促進キャンペーンの効果を知りたい場合にも役立ちます。

注文一覧からの検索や注文一覧のダウンロードもできる

ASPカートシステムならば売上だけでなく、現在入っている注文のリストを金額順などに並べ替えることも簡単に行えます。makeshopの場合、次ページの場所から注文の一覧を確認できます。

ここでは注文の内容を下記のような条件で並び替えることができます。

・注文日時
・配送希望日
・配送ステータス
・決済方法
・決済ステータス
・注文者情報

例えば配送ステータスや決済ステータスで受注を並び替える機能を利用すれば、配送や決済が済んでいない注文がすぐに分かります。発送が遅れている注文があればすぐに発見できますし、決済が遅れている顧客もすぐに分かります。

このような機能の活用方法は、運営業務のステータス確認だけにとどまりません。顧客が多く利用する決済方法の分析に使ったり、どのようなタイミングで注文が増えるかを調べたりすることもできます。

私のサイトの例では、土日の注文は目に見えて少なくなります。一方で顧客に製造業が多いこともあって、祝日の注文は土日ほど少なくはなりません。一日のなかで注文が増える時間帯と、注文が少ない時間帯も見えてきます。このような顧客の動向は、チラシをつくる際のターゲット像の設定や、顧客に営業メールを送る時間、顧客に合わせたキャンペーンをつくりたい場合などに役立ちます。さらにこれらの情報はExcel（CSV）でダウンロードできるため、別ツールで経理処理を行う際にも便利です。

23 ニッチな商材を売り込む勝ちパターン

ECサイトを伸ばす３つの対策

ECサイトに限った話ではなく、商店の売上を伸ばすためには３つの要因があります。ECサイト運営における、それぞれの対策は次のとおりです。

・訪れる人を増やす → 広告・SEO
・訪れた人が購入に至る確率を上げる → 情報・サンプル
・顧客一人あたりが購入する額を増やす → 商品設計

そもそも商店を訪れる人がいなければ、商売にはなりませんので、まずは訪れる人を増やす工夫が必要です。そのためにはまずECサイトの存在を知ってもらわなければなりません。客が検索を繰り返して自社のECサイトにたどり着くのを待っているようでは集客につながるわけもありません。そのためには自社の存在を知らせる、目に留まりやすい広告を出すのが最善の策です。

実店舗では、近隣住民の自宅ポストへの広告の投げ込みをしたり、表通りに分かりやすい看板を設置したりします。そうすることで「こういうお店がある」と知ってもらい、顧客を実店舗に誘導しています。

ECサイトでも考え方は同じです。ECサイトでは、インターネット上に広告を出して、ネットを見ている人にECサイトの存在を知ってもらいます。初期は広告で集客し、リピーターがサイトを訪れることでSEO効果があります。

またサイトを訪れてもらっても、購買につながらなければウィンドウショッピングと同じで売上につながりません。特にBotB向けのECサイトでは、決済者の存在を意識する必要があります。たとえ企業の担当者が自社のECサイトを訪れて商品を気に入ってくれたとしても、上司の承認などが必要な場合、責任者の決済を得られなければ購買につながりません。そのためにも商品の情報やスペックを分かりやすく表示したり、サンプル請求に対応できるようにしたりするなどの工夫を施します。買ってもらうためには、情報の正確さと分かりやすさは大事です。サンプルと金額や条件などの情報を添えて稟議に回すことで承認が得られやすくなります。そして、事前にサンプルが入手できれば安心して購入できるため、ネットショップにおいてサンプルが提供できるかどうかは、大きな成長につながるポイントだと考えます。

また、B to B向けのECサイトでは、顧客が1回で購入する金額が大きくなる可能性が高いのも特徴です。一般の人が紙を10,000枚買うことはあまりありませんが、事業者からは5,000枚や10,000枚といった注文は珍しくありません。

このように個人の買い物に比べて、企業なら単価が高額な商品をまとめて購入することはよくあることです。B to B向けのECサイトは顧客も事業者ですから、ECサイトを仕入れに使ってもらうなど、1回の購入量を増やせる工夫を行うことも大切です。そのためにはまとめ買い、サブスクリプション、条件付きで掛売可能な商品、関連商品の充実などの商品設計がとても大切です。

広告の目的はECサイトへの流入を増やすこと

ECサイトの場合、実店舗以上に「まずは訪れてもらうこと」

が重要になります。サイトを訪れてもらわなければ、顧客はその商材をインターネット上で買えることに気づきません。また実店舗と違って、通りすがりで店舗を目にしたり、看板を見たりできない分、「こうした商材を扱っているECサイトがある」と知ってもらう必要があります。まずはECサイトを訪問してもらうための工夫が必要になります。

情報は訪問客を購入につなげるもの

ECサイトを訪れてくれた顧客に購入を促すために必要なのが情報です。表示されている商品が、本当に顧客が求めているものでなければ購入には至りません。顧客が安心して購入できるための情報が必要なのです。

とはいえ、顧客が最初に訪れたページには、求めているものと違う商品が表示されている場合もあります。こうした場合も「あなたが求める商品はこちらです」と誘導する情報があれば、顧客はECサイトから離脱せず、該当のページに移動して購入を検討することができます。顧客の購入率をアップさせる情報には「商品の概要を伝える情報」と「類似商品の存在を伝える情報」の2種類があります。こうした情報を効果的に伝えるためには、サイトのつくり方を工夫する必要があります。

サンプルは訪問客が購入する量を増やすもの

ECサイトを成長させていくためには、顧客を増やすことが第一ですが、有効な方法があります。サンプルを活用して大量に買ってくれる顧客を見つけることです。

B to Bとはいえ、ECサイトでは実際の取引に比べて小口の注文が多くなります。小口の顧客がたくさんいれば、ある企業が取引をやめてしまっても、売上が急激に下がる可能性は低いものの、やはり大量の商品を購入してくれる顧客も確保して売上を伸ばしたいものです。受注業務や配送にも人的、時間的なコストがかかりますので、顧客一人あたりの購入額が高くなれば、利益率も向上します。

大量購入してくれる顧客を呼び込むためにも有効なのが、サンプルなのです。

24 売れるためには検索で上位を目指す

検索結果には順位がある

インターネットであるワードで検索すると、そのキーワードに関わる検索結果がリスト状に表示されます。実はこのリストは決してランダムに生成されているわけではありません。インターネット検索の仕組みからなるルールによって、リストに表示される順番が決められているのです。

また、自分自身がインターネットで何かを調べようとしたときのことを思い出してみれば分かるのですが、通常、検索結果で下のほうに表示されたサイトをあまり見ることはありません。上位に表示されたものから順番に見ていきますし、いちばん上に表示されたもので用が済んでしまえば、それ以降に表示されたサイトを訪れる必要はなくなります。

つまり自社のECサイトに入ってくる顧客の数を増やすためには、顧客が検索した際に、上位に表示されるようにSEO対策をする必要があるのです。

広告を使って検索結果の上位を取りにいく

顧客の流入を増やすためには広告を使いますが、やみくもに広告を出しても高い効果は見込めません。ECサイトの訪問や商品の購入に至る可能性が高い顧客に向けて広告を届ける必要があります。そこで指標となるのが、顧客の検索行動です。SEOは検索結果で目につきやすくするための対策ですが、Web広告も顧客の検索行動にひも付いて表示させる方法があります。これらの方法を効果的に使用すると、検索結果の上位にリストアップされやすくなるのです。

もちろん口コミや、紙のチラシなどから直接サイトを訪れてくれる人もいないわけではありません。B to B向けの中小製造業にはあまり向かない方法ですが、テレビCMで社名やサイト名を宣伝し、そこからの流入を狙うのも一つの方法です。しかし中小製造業のB to B向けのECサイトにおいては、やはり検索で上位になるのが最も効果的に顧客の流入を増やす方法といえます。

25 検索順位を押し上げる秘策は「キーワード」の適切な使用など

インターネット検索の仕組み

例えば「用紙」と検索したとします。すると検索サイトで使われている「クローラー」というシステムが、サイト内に「用紙」という単語が使われているページをかき集めてきます。クローラーとは、定期的にインターネットの中を巡回し、Webサイト上に掲載された文章や画像を収集し、解析するプログラムです。クローラーは収集した文書や画像をデータベース化します。しかしこの時点では、まだ検索結果として順位はつけられていません。

サイト内で「用紙」という単語が使われているページがたくさんあると、その中での順位づけがはじまります。順位づけの方法には非常に多くの種類やルールがありますが、今回のECサイトに関係がありそうな項目を抜き出すと、次のようなものが挙げられます。

- ページタイトルや見出しなどにキーワードが使われている
- ページ内で、キーワードが適度かつ適切に使われている
- ページ内の情報の質と量が十分
- ほかのページからのリンクの数

これらのルールは不変ではなく、アップデートされて新たなルールが追加されたり削除されたりします。例えば「ページ内でキーワードがたくさん使われている」というルールがかつてありましたが、それに目をつけたWebページ制作者が「用紙」というテキストを並べて装飾するなど、サイト内の文脈に合わない形で無理矢理キーワードを多用し、検索順位を上げようとしたケースがありました。このため近年では「キーワードが短い頻度で頻出しすぎているものは除く」というルールも追加されています。このように、世の中の事情やWebサイト構築のトレンドなどを考慮しつつ、ルールは少しずつアップデートされているのです。

しかしここに挙げたものは、ベーシックなものであるため、少なくともしばらくの間は変えられることなく残ると見られています。変更が入る場合でも、二次的なただし書きの条件を追加される程度で、この項目自体が大きく変更される可能性は低いと考えられます。

検索結果を表示する際には、こうしたルールにより「用紙」という単語が使われているページが順位づけされ、上位のものから表示されるようになっています。

むやみにコンテンツ強化に手を出さない

SEO対策として、例えば「用紙とは」のような記事コンテンツを新たにつくり、リンクを貼って流入を増やそうと考える人もいます。実際にモノタロウのような大手専門系サイトでは、記事コンテンツを用意し、そこからECサイトへのリンクを貼っているものもあります。このような記事を「SEO対策コンテンツ」と呼びます。ECサイトに限らず、企業のWebサイトでは非常に多く用いられている手法です。製造業の分野では、キーエンスのWebサイトがこういった手法をよく使っています。例えば「幾何公差とは」や「バリの測定」などと検索した際に、キーエンスの企業サイト内につくられた幾何公差について解説する記事や、バリを測定する手法についてまとめた記事などが検索結果として表示されます。これらの記事には、バリを測定できる機器のカタログダウンロードサイトや問い合わせサイトへのリンクが貼られており、バリについて悩んでいた人が、そのまま購買を検討できるような動線が準備されています。ECサイトを所有しているならば、そのままECサイトの商材ページのリンクを貼ってしまえば、顧客に購買行動を促せます。こういった手法も、興味のある顧客を呼び込みやすいという意味で、一定の効果があります。

しかし私は中小製造業によるB to B向けのECサイトにおいては、むやみなコンテンツ強化には賛成しません。なぜなら、コンテンツ強化のために新しい記事やサイトを用意するのは、非常に多くの手間と時間が必要であるうえ、すぐに効果が出るわけではないからです。インターネットでさまざまなキーワードを検索していれば気がつきますが、このようなコンテンツによる集客を行っているのは、ほとんどが大手企業です。そして企業のサイト内に膨大な数のSEO対策記事のページをもっています。コンテンツの強化対策は、ある程度の期間をかけながら継続して行うことで徐々に効果を発揮するものであり、それに伴って必要となるコストも膨大になってきます。ASPカートシステムを使ってECサイトを自作する理由は、あまり資金をかけないでサイトをオープンするためですから、SEO対策コンテンツに力を入れるのは、最初の目標とは方向が異なるものです。ECサイトが十分に育ち、EC事業の規模が大きくなったあとなら着手してもいいかもしれませんが、私は少なくともサイトオープンの前後で行うべき対策だとは考えていません。それよりも広告を活用するなど、より効果的な対策を行うべきと考えます。

インターネットでの集客においてはSNSという手段もあります。近年は企業がSNSを運用するケースも増えており、SNSで大きく拡散されたのをきっかけに売上が爆発的に伸びた話を聞くことも増えました。

たしかに製造業の会社が発信するSNSのなかには、現場でしか見られないものなど、魅力的な情報を発信しているアカウントもあります。そのような場所からファンを増やし、購買につなげようという考え自体は、決して間違ってはいません。

しかしB to Bの中小製造業においては、SNSでの活動に力を入れてみても、ECサイトの売上には、あまり大きな効果はないというのが私の考えです。B to Cのビジネスにおいては、顧客が販売者に対して親しみを感じたり、応援したいと感じたりしてもらうことは、購買行動を加速させる重要なポイントの一つになります。しかしB to Bにおいてはこのようなファンビジネスは、あまり効果が期待できません。商品を探す人と決済を行う人が異なるケースも多く、両者の間で販売者に対する好意的な感情が必ずしも共有できないことや、ビジネスの場には個人の感情は持ち込まないのが当たり前という考えがあるからです。そのためSNS発信でファンを増やしたとしても、それが売上にはつながりにくいのです。

またSNSでファンを獲得するには、小まめな発信を続けなければならないなど、手間も意外とかかります。手間をかけてみても、同業者の間で人気になって、そちらのやり取りが盛り上がるばかりで、潜在的な顧客までは情報が届かないなど、労力対効果が見合わないケースも少なくありません。それならば、もっと効果が高く結果が出やすい方法を選んだほうがいいというのが私の考えです。

26 ECサイトを劇的に伸ばす リスティング広告とは

リスティング広告とは

リスティング広告とは、一見するとただの検索結果にしか見えない広告で、あらかじめ指定したキーワードで検索しないと表示されない広告です。しかしキーワードが検索された際には必ず上位に表示されるため、検索に強いのが特徴です。例えば

「ミシン目入り用紙」と検索した際のリスティング広告の表示は次のようなものです。

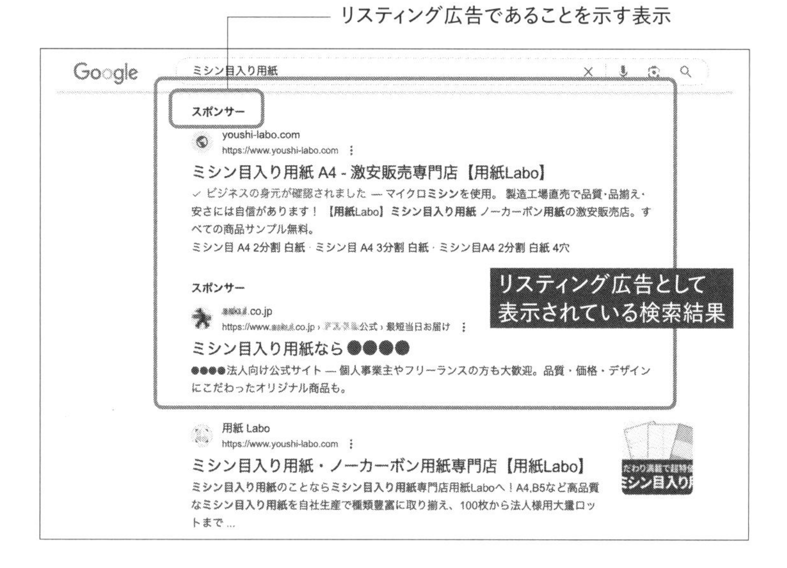

一見すると検索結果にしか見えないことから、顧客にとっては「興味もないのに繰り返し表示される」のようなネガティブな感情を抱きにくいのもメリットです。

- ディスプレイ広告
- リターゲティング（リマーケティング）広告
- 純広告
- ショッピング広告

またリスティング広告には、キーワードで検索結果として表示されたものが、クリックされ、顧客がサイトを訪れて初めて広告費が発生するという特徴があります。検索結果として表示されたとしても、その時点で顧客が「これは自分の求めているものではなさそうだ」と判断したならば、検索結果として表示されたサイトはクリックされず、費用も発生しないのです。つまり、リスティング広告は、より関心が強く、顧客になる可能性が高い人だけに広告費をかけられるシステムでもあるのです。Web広告にはリスティング広告以外にも次のような広告があります。

ディスプレイ広告

出典：サンロフト「集客に役立つディスプレイ広告！費用や課金方式とは？」

ディスプレイ広告とは、Web広告枠が設けられているサイトを見たときに、画像付きのバナーで表示される広告です。視覚効果が高く、年齢や性別など細やかなターゲッティングを行いながら広告を表示させることができます。潜在的な顧客へのアプローチができるのがメリットです。

リターゲティング広告とは、Web広告枠に以前訪れたサイトの広告を表示させる方法です。リターゲティング広告が目立つのは、不動産やアパレル、製造業では特にキーエンスなどです。すでにサイトを訪れたことがある人を対象にするので、ある程度興味のある層をターゲットにできます。

純広告とは、ターゲットを絞らず、ある一定の期間、常に表示されるようにする広告です。大手ECモールの期間限定セールや、ファーストフードの期間限定メニューの広告などでよく見られるものです。ターゲットを指定しないため、広い範囲に広告を届けることができますが、広告費は高額です。

ショッピング広告は、リスティング広告と同じく検索結果上部に表示される広告で、文章ではなく商品画像が表示されるのが特徴です。商品を探しているユーザーに対して、直感的に商品を見せることができるため、購入意欲が高いユーザーをサイトに呼び込むことが可能になります。

そもそも中小製造業のB to B向け商材は、市場がニッチです。そのため、ディスプレイ広告や純広告のように、広い範囲をターゲットにしても効果が薄いのです。

一方でリスティング広告は、狭いけれども関心の高い顧客に広告を届けられるうえに、ほかに比べると広告費も低く抑えられます。そのためB to B向けECサイトの広告にはリスティング広告が向いているのです。

リスティング広告の活用は集客だけではない

広告費がクリック数によって決まるという性質を利用すれば、顧客が興味を示すキーワードの割り出しにも使えます。

例えば商材のカテゴリー名を「ミシン目入り用紙」と「手で切れる紙」のどちらにするかで悩んでいたとします。そのような場合には、両方のキーワードでそれぞれリスティング広告を出してみる方法があります。

リスティング広告はクリック数に応じて課金されますので、キーワードごとのクリックされた数がすぐに分かるようになっています。同じ期間、両方のキーワードの広告を出し、クリックされた数を比べてみれば、どちらのキーワードがより顧客に響くか、どちらのキーワードのほうがクリックしてもらえるかが分かります。その結果をサイトづくりに反映させれば、顧客の流入を増やせます。なお、リスティング広告のクリック単価はオークション制です。また、広告の質（広告ランク）によっても単価は変わります。広告ランクは、クリック率が高い広告やコンバージョン率が高い広告が高くなります。

キーワードで検索した際に表示される順位は、さまざまな条件で決まりますが、そのなかの一つに、サイトを訪れる人の数があるといわれています。つまり人気のあるサイトのほうが上位に表示されやすいということです。リスティング広告を使えば、当然サイトへの流入数は増えます。しかし、広告訪問はあまりSEOに反映されません。そこで大事になってくるのがサンプル注文です。広告を見て訪れた人がサンプルを注文したあと、商品を購入するために再び「指名検索」で来店（広告経由ではない訪問の流れを作る）したとします。その人は購入するまで滞在するため滞在期間が長くなります。そうすることで、サイトの評価が高まるというわけです。その結果、広告に頼らなくとも「人気のサイト」として、上位に表示されやすくなるのです。

また広告を出して顧客を呼び込んで人の流れをつくることにより、サイト内の課題も見えてくるはずです。

リスティング広告の出し方

リスティング広告は、検索エンジンの運営会社に依頼します。GoogleやYahoo!、Microsoft（Bing）などがあります。

それぞれの検索の名前に「広告」とつけて検索すると、広告を出すためのページがすぐに見つかるはずです。ページからは、まずアカウントの取得を行います。サイトによって多少差はありますが、事業を行っている地域（国）の入力や、広告費支払い方法の入力を行い、最初の設定を完了させます。

アカウントを取得し、管理画面に入ると、広告を作成できるボタンがあります。Googleの場合には次の図のようになっています。

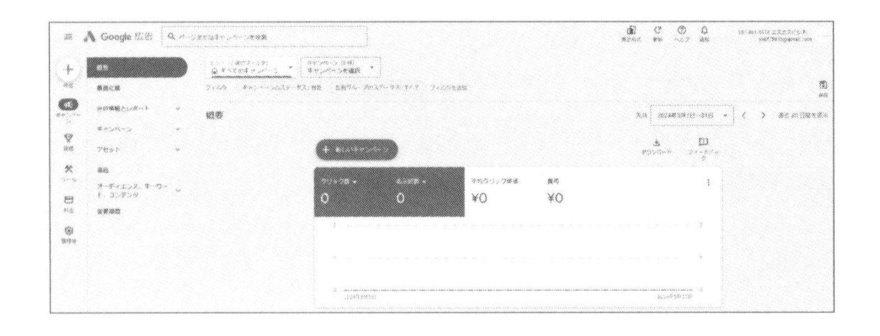

リスティング広告を出す際には、広告の種類、対象とするキーワードなどを入力していきます。

リスティング広告にかかる費用

リスティング広告は基本的に、指定したキーワードで検索されて表示されたあと、その広告がクリックされた数に応じて料金が決まります。また、1クリックごとの値段はキーワードと、広告単価、広告の質（広告ランク）によって変わります。広告単価はオークション制のため、検索数の多い人気のキーワードのほうが費用も高く、検索数があまりないキーワードならば安く出せる仕組みになっています。そのため、広告費と検索数のバランスを見ながらキーワードを決める必要があります。

また検索エンジンによる費用については、Google、Yahoo!は比較的高価です。Bingは、比較的安価ですが製造業からの検索が多いのが特徴です。そのため私はまずBingで広告を出していました。Bingは、Windows11の普及で爆発的に利用頻度が増えています。ただ、スマートフォンで使われるブラウザではないため、オークション制で決まるクリック単価がそこまで高くありません。B to B商材の場合、パソコンで検索されることが多いので、リスティング広告を出すならBingは狙い目です。

リスティング広告は、クリック数に応じて課金される設定以外にも、あらかじめ設定した課金額になったら自動的に広告を停止する設定もあります。予想していた以上に広告の効果があるなど、広告費が想定外に膨らむのを防ぎたい場合には、こちらの設定を行っておくといいでしょう。

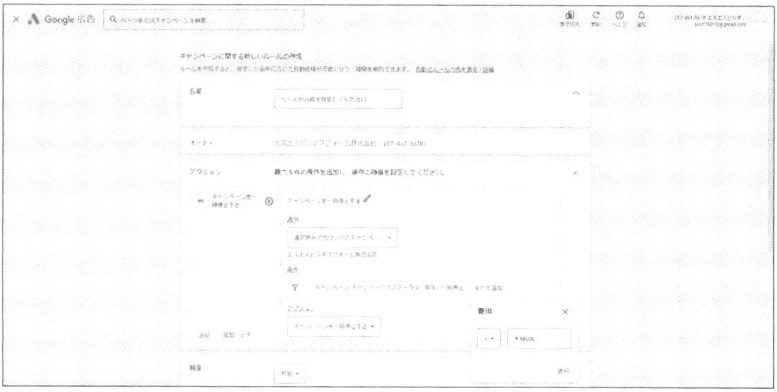

27　訪問客が求めている「情報」とは

得意先の「いつもの」注文

ここからは顧客の購入率をアップさせる情報について解説します。この情報には、商品の概要を伝える情報と類似商品の存在を伝える情報の２種類があり、まずは商品の概要についてです。

Ｂ to Ｂの製造業、しかも中小企業の場合、比較的固定した顧客が多く、注文も「いつもの」で通じてしまうケースが少なくありません。発注する側も、受注する側も、商材のことをすでによく知っているので、なんとなくのニュアンスで通じあう場合が多いのです。

しかしECサイトの場合、基本的にはまったく新しい顧客を想定しています。ですからこれまではなんとなく通じていたものが一切通用しません。

これまでも、商品ページには商材のスペックを記載するよう述べてきましたが、そもそも顧客が求めるスペックとは何かというところから、もう一度確認します。

スペックの書き方も複数ある

私が管理しているサイトで取り扱っているような「紙」は、紙の厚さを表すために、業界的には斤量（きんりょう）や坪量という単位を使います。斤量は原紙1,000枚の重さを表します。また坪量はその紙の1㎡あたりの重さを表します。印刷業界などで日頃から紙を扱っている人には、斤量や坪量でも用紙の厚さのイメージがきちんと伝わります。しかしこれらの数字は、紙にあまり詳しくない人にとっては意味の分からない数字になってしまいます。意味が分からないということはスペックが正しく伝わっていないという状況です。

そこで私のECサイトでは、紙の厚さそのものも併せて表記しています。厚さを、日常でも使う㎜の単位で表記しておけば、紙に不案内な人でも、ほかの商品と見比べることでスペックが伝わりやすくなります。つまり紙厚に対するスペックの欄は次のようになるのです。

斤量：55ｋｇ　坪量：64g/㎡　紙厚：約0.09mm

こうすることで、紙に詳しい人も、そうでない人にも、紙のスペックが伝わるようになります。また掲載すべきスペックを迷った場合には、競合サイトを複数見比べて、掲載されているものをすべて網羅するようにします。

サイトを訪れた顧客に商品を購入してもらうためには、そのページの商品が「探していたもので間違いない」という確信を持ってもらわなければいけません。ですからその確信を促すために必要なのが、商品の情報なのです。

文章だけでは情報は伝わりにくい

商品のスペックをはじめとする情報の伝え方にはさまざまな方法があります。

基本になるのは文章ですが、表や図を用いる方法もあります。また、商品を掲載するページには、最低限、商品の写真は必要です。また写真では特徴が伝わりにくい場合や、商材がニッチすぎて伝わりにくい場合には、イラストを使う方法もあります。

例えば私たちが扱っているミシン目入り用紙は、写真で見てもミシン目の位置が、はっきりとは分かりません。また、紙そのものが薄っぺらい平坦ですので、写真では大きさや質感が伝わりません。ですから私のサイトでは次のようなイラストを使用しています。

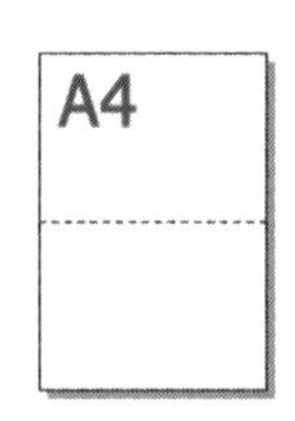

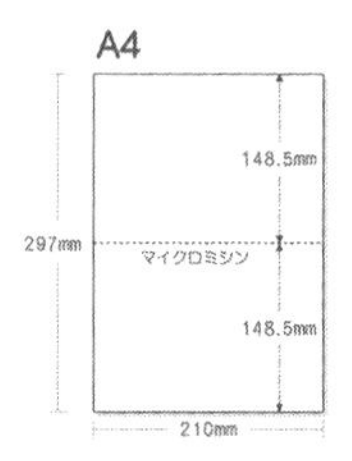

こうすることで、紙の大きさがA4であることや、用紙の中央に切り取り線のようなミシン目が入っていることが分かりやすくなります。写真でしたら、このように必要な情報を伝えることはできません。もちろん写真で伝わるならば、それでも十分です。しかし情報を伝える手段はさまざまで、どのように顧

客に伝えれば分かりやすくなるかは、常に意識しておくべきポイントになります。

さらに近年ではスマホでの商品検索も増えてきたこともあり、YouTubeをはじめとする動画をアップロードできるサービスも増えてきました。15秒程度のショート動画の配信が急増しています。言葉や数値では伝わりにくい、機械の動きやサイズ感などを紹介したい場合は、積極的に動画も用いていきます。動画を使えれば、作動中の商品を撮影したり、商品を使っている様子を映したりするなど、情報の伝え方も大きく広がるはずです。

iMovieで動画を作成する方法

iMovieはApple製品（iPhoneやMacBookなど）にインストールされている無料の動画編集アプリです。撮影した動画にテロップや音楽をつけたりできます。アニメーションやエフェクトなどの機能も満載です。直感的な操作でクオリティの高い動画を作成することができるため、動画編集初心者でも、

①iMovieに動画を取り込む

②動画にテキストを挿入する

③動画を保存する

の3ステップで簡単に作成できます。

①iMovieに動画を取り込む

（1）紹介したい動画を撮影する

スマホのカメラで動画を撮影

※静止しているものを撮影する場合は、スマホスタンドを利用したり、きれいな動画になるよう照明を使ったりと工夫します。

（2）iMovieを起動する

iPhoneに標準搭載されているiMovieを開きます。

（3）アプリ上でムービーを選択する

「＋」をタップして新規プロジェクトより「ムービー」をタップ

（4）ムービーを作成する

スマホ内にある動画を選択し、「ムービーを作成」をタップすると動画が編集画面に移動します。

（5）縦向き動画を横向きにしたい場合

動画の向きが表示させたい向きと異なる場合、プレビュー画面を指2本で回転させるように触ると画面の向きを変更できます。

②動画にテキストを挿入する

（1）テキストを入れたい動画ロール部分をタップする

「T」をタップして表示させるテキストのエフェクトを選択してください。

（2）テキストを入力する

プレビューに「タイトルを入力」と表示されるので「編集」をタップしてテキストを入力してください。

（3）テキストをカスタマイズする

4つの操作ができます。

表示位置変更：テキストを指で選択した状態で任意の位置移動

Aa：フォントを選択

○：カラーを選択

…：オプションが表示される
（テキストに影をつける、太文字にするなど）

（4）テキストの表示を終わらせる

入力したテキストの表示を任意のタイミングで終わらせるためには、分割が必要になります。分割は「ハサミ」のアイコンを選んで終了させたい動画の位置をタップし、「分割」をタップ。

③エフェクトをかける

分割した部分と別の部分へ切り替わる画面でエフェクトをかけることができます。「｜」をタップしてお好みのエフェクトを選択してください。

④動画に音楽や効果音を挿入

（1）音楽を挿入する

「＋」から「オーディオ」＞「サウンドトラック」をタップし、BGMを選んで右側の「＋」をタップする。

※「オーディオ」＞「サウンドエフェクト」はドアを閉

める音などの効果音を選択することが可能。

（2）音量を最初と最後にフェードイン、フェードアウトさせる

音声の緑色の線をタップし「スピーカー」マークをタップ。

「フェード」を選択し、黄色の「▼」を選択した状態でフェードイン、フェードアウトさせたいところまで移動させます。

自然に音楽をフェードイン、フェードアウトさせることができます。

※動画に音声が入っており、BGMだけにしたいときは動画を選択して「スピーカー」をタップすると動画の音声を消すことができる。

⑤動画を保存する

（1）編集した動画を書き出しする

画面左上にある「完了」をクリックすると、動画の編集が終了します。動画のタイトルを変更し、画面下部にある共有ボタンをタップ。「ビデオを保存」を選択するとカメラアプリ内に動画が保存されます。

※動画を再生して不備がないか事前に確認したうえで書き出しを行う。

（2）YouTubeなどへアップして、ショップページに動画を埋め込む

実際に作成してみるとあっという間に完成します。iMovie

はどんどんバージョンアップしていきますが、基本的な操作はそんなに変わりません。makeshopもそうですが、多くのASPカートシステムのデフォルト状態では、写真やイラストは表示させやすいものの、表や動画は少し表示しにくい設定になっています。自分の操作しやすいようにカスタマイズを行いながら、情報を見やすく配置していきます。

「新商品・おすすめ商品・スペシャル商品」などを表示する

できたばかりの新作やシーズナルアイテムなど、推しの商品は目立つところに配置します。

makeshopでは以下の操作で行います。

> 管理画面：商品管理 / 商品一覧 / 商品登録「ショップでの表示場所」

選択により、トップページの表示位置が指定できます。

また次の画面では並び順の変更や紐づけの登録/解除を行えます。

> 管理画面：ショップデザイン / 機能・設定 / ピックアップ商品配置

また、CSVで行う場合は

管理画面：商品管理 / 商品一覧 / アップロード / 商品一括登録

を操作することになります。マメに商品の位置を動かすことによって、きちんと管理されているECサイトだという印象を与えることもできます。

また、在庫管理も重要です。特に人気で売り切れた商材がある場合、機会損失のないように必ず「再入荷お知らせ設定」を行います。

管理画面：商品管理 / 機能・設定 / 再入荷通知

※「再入荷のお知らせ通知」を「使用しない」にしていると「再入荷お知らせ」機能は有効にならないため「使用する」に変更すること。
この設定をするだけで、商品が「品切れ」なったタイミングで「再入荷のお知らせ」が反映されます。

レビューも重要な情報

実際に商品を購入した顧客が感想を書き込むレビューも、次に購入を検討している顧客にとって重要な情報になります。

基本的にレビューは販売者側ではなく消費者側から見た商品の評価になります。そのため販売者には不都合な情報や、満足できなかった体験談なども掲載されてしまいます。商品を買おうとしている顧客にとっては、買ってみて良かった点を参考にする場合もありますが、多くの場合はマイナスの評価がないか、もしあったとしたらその内容は何かを気にしながら見るものです。基本的に商品は満足できて当たり前なので、レビューでは批判のほうが目立ってしまいます。

しかしレビューを見て、ひどくマイナスとなる意見がなければ、初めてその商品を購入しようとしている顧客や、ほかの商品との選択で迷っている顧客でも、安心して購入できるようになると考えています。

実際に私のサイトでも、各商品ページの下部に顧客のレビューが自動で表示されるように設定しています。レビューを載せると理不尽なことを書かれるのではないかと心配する人もいますが、誠実な仕事をしていれば、完成度の高い商品を提供できているはずですので、それほど心配はありません。

また、例えば「レビューを書いてくれたら5％OFF」のようなキャンペーンを行うと、無理なく高評価を集めやすくなります。キャンペーンのサービスを受けることを考えると、商品に悪いイメージがある人は書き込むことをためらいます。逆に高い評価をする人は、いつもは書き込みなどしなくても、「ちょっと口コミを書いてみよう」と思ってくれます。そのためレビューで割引のキャンペーンは自然に好意的な口コミを集めるための有効な手段なのです。レビューはSEO対策にも有効です。ただし、レビューが集まるまでには時間がかかるため、レビュークーポンはオープン時からやるべきです。不都合なレビューはあとから消せばよいのです。自社サイトならそれが可能です。

28 類似商品を探しやすくする方法

最初から目的の商品にたどり着けるとは限らない

ECサイト構築の際には顧客が検索によって商品ページにたどり着くのを想定しながら作業を行います。しかし顧客は、必ずしも最初から目的の商品にたどり着けるとは限りません。

実際に自分がインターネット上で商品を探したときのことを思い出してほしいのですが、すぐに目的の商品にたどり着けなかったケースも多かったのではないかと思います。例えば黒い革の手袋が欲しかったとしても、黒い毛糸の手袋の検索結果が出てきてしまったり、革の手袋ではあるものの黒ではなかったりするケースです。あるいはゴルフ用の黒い革の手袋が欲しかったのに、検索結果として表示されたのはバイク用であるケースもあります。ネット上に流れている商品の種類が多岐にわたり数も多いため、似たようでまったく違う商品も数知れずあり、検索ワードでそれらの商品を拾ってしまうのです。

実際、B to BのECサイトにおいても、似たような商品ではあるものの、思っていたのとは少し違う商品のページにたどり着くケースも多いのです。

その場合に有効になるのが、ページ内のリンクをたどってほかの商品を探してもらう方法です。商品ページに類似商品の存在が分かりやすく表示され、1クリックするだけでそこからページを移動し目的の商品を探したり、いくつかある候補の中から比較検討をして購入したりすることができます。

手袋の例では、たとえ最初から目的の商品を扱っているページを見つけられなくても、手袋を扱っているネットショップにたどり着く可能性は非常に高いといえます。それならば、そのショップ内のリンクから、素材や色違いの手袋を探してみたり、違う用途の手袋はないか探してみたりします。なぜならば、そこが手袋を扱っているサイトだと分かることができれば、また最初から検索をし直すよりも、サイト内を探したほうが目的の手袋が見つかりやすいと感じるからです。これが、類似商品にたどり着きやすくする、購買を促す仕組みです。

なお、類似商品を比較する際、違いが伝わらなければ購買につながりません。特に工業製品は写真だけでは違いが分からないものが多いです。画像にテキストを追加するなどの工夫をして、商品を並べて表示した状態で何が違うかを理解してもらう必要があります。一方で類似品が調べにくければ、顧客はそのままページから離れてしまいます。つまり購買につながらないということです。そして別のサイトで目的の商品を見つけてしまえば、次の購入もそのサイトからということになって、商売の機会を一つ失うことになってしまいます。そうしたことを避けるためにも類似商品を探しやすい情報の掲載が重要なのです。

類似商品を探しやすくする3つの方法

類似商品を探しやすくする方法は①類似商品の表示、②見えやすくアクセスしやすいカテゴリー一覧、③パンくずリストの3つあります。

類似商品の表示と②カテゴリー一覧は、どちらも商品ページの目立つ場所に配置します。実際に私たちが運営するECサイトの商品ページでは、類似商品の表示やカテゴリー一覧はこのようになっています。

同じタイプの商品を表示した欄では、画像をメインに置き、直感的に商品の特徴が伝わるようにしています。さらにこのとき「同じミシン目タイプの商品」という表記に加え、イラストで分かりやすく違いを伝えることで、それが今見ている商品とは異なる、類似商品であることを意識づけるようにしています。

また左側のカテゴリー一覧は、サイト内のどのページを見て

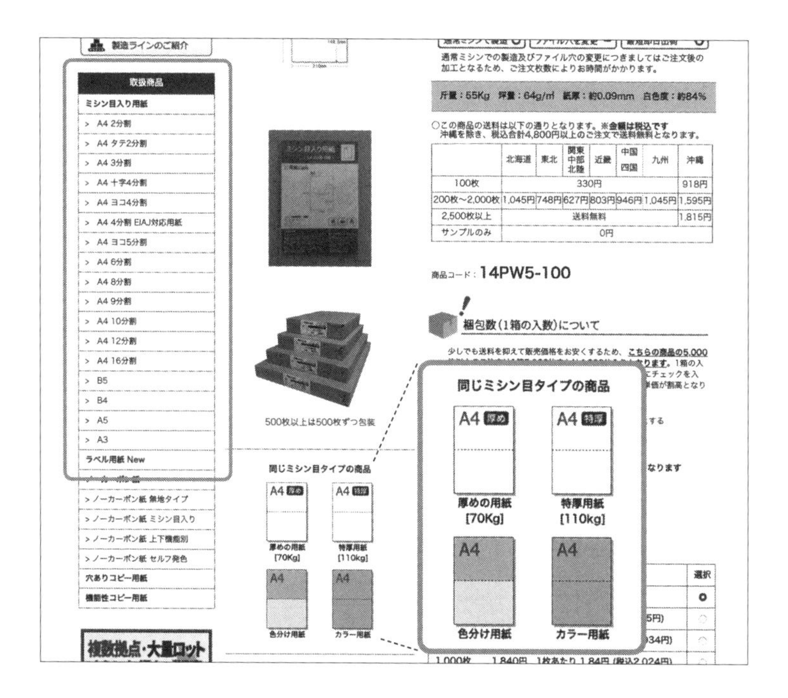

いても同じ場所に表示されるようになっていますので、どの商品ページからでも容易にアクセス可能です。

このような工夫により、類似商品が探しやすいサイトがつくられるのです。

29 ECサイトを使いやすくする「パンくずリスト」

パンくずリストとは何か

パンくずリストとは、サイトを訪れているユーザーが、サイト内のどこにいるかを分かりやすくするための表示です。Webサイトのページ階層をリスト化したナビゲーションとも表現されます。

パンくずリストは、「ヘンゼルとグレーテル」という童話に由来しています。この物語では、きょうだいが森に入っていく際に、帰り道を見失わないよう、それまで通ってきた道にパンくずを落としていきました。物語上では、きょうだいが撒いたパンくずは小鳥に食べられてしまい、結局二人は帰り道を見失ってしまうのですが、この物語を元に、Webサイト上で「どこを通って」「今どこにいるのか」を表示するものを「パンくずリスト」と呼ぶようになったのです。

私のECサイトの例では、次ページに表示されるようになっています。

この場合、表示しているのは、顧客が「どこを通ってきたのか」ではなく「今どこにいるのか」です。近年ではほかのサイトでも、足跡よりは現在地を示すパンくずリストになっているケースが多いです。

検索から最初にたどり着いたのがECサイトのトップページではなく商品ページだった場合、特にパンくずリストが役に立ちます。その商品がどのようなカテゴリーに属する商品なのか、すぐに分かりますし、一つ上のカテゴリーを見てみれば、類似商品が見つかりやすそうな予感を与えます。

パンくずリストのメリット

パンくずリストは、サイトを訪れている顧客に対し、閲覧中のページが所属するカテゴリーや、そのページの上位に位置するカテゴリーを示します。そのため、顧客がサイト内で迷わなくなるのがメリットです。

また、パンくずリストを整えると、SEO的にもメリットがあります。

検索結果を表示する際、クローラーというシステムがサイトを巡回してキーワードを探します。このクローラーが、パンくずリストをたどりながらサイト内を巡回するようになっているのです。つまりパンくずリストが正しく整えられていれば、クローラーがサイト内をくまなく巡回し、顧客の検索キーワードが合致していた場合には、検索結果として表示してくれるようになるのです。

ECサイトにおいては、TOPページに訪問してもらうだけでなく、検索から直接商品ページを訪れてもらうことも必要です。そのためクローラーがサイト内を巡回できるようにしておくことが重要なのです。これがパンくずリストを整えるSEO的なメリットの一つ目です。

さらにパンくずリストはサイト内でのリンクにもなっています。SEOの評価基準の一つに、ほかのページからのリンクが多く貼られていることがあります。パンくずリストが整っていれば、その部分からカテゴリーページなどへリンクがつながりますので、SEO的にも有利になります。これが二つ目のメリットになります。

パンくずリストの設定方法

使用するテンプレートにもよりますが、makeshopの場合は、商材の登録時に正しくカテゴリーを選択しておけば、自動的にパンくずリストが表示されるようになっています。

つまり、分かりやすいパンくずリストを表示させるためには、カテゴリー設計をしっかり行う必要があるということです。

30 無料でサンプルを届けて大量受注を狙う

製造業のサンプル文化

B to Bの製造業を営んでいると、避けて通れないのが「サンプル」の提供です。三現主義（現場、現物、現実）という言葉にもあるように、製造業では「現物」を確認したいと考える人が少なくありません。

一般に製造業では、新製品を企画・設計してから製品化が実現するまでに、試作品を何個も作って多くの検証を行い、自分たちが現在使っている機械でそれが今までと同じように使えるかどうかチェックする文化があります。加えて、商材によっては例えば手触りやフレキシブル性など、スペックなどの数値だけでは分かりにくい性質を持つこともあります。

それらを確認するためにもサンプルが必要なのです。さらに、サンプルは無料でもらえるという文化も根強くあります。ですからECサイトからそのままサンプルを請求できるようにしておくのが重要です。

現物に勝る情報はなし

ECサイトでは商材の情報はすべて公開し、写真やイラストなども用いて特徴を伝える必要があります。しかしどれほど手を尽くしても、画面の中の情報量は現物には勝てません。百聞は一見にしかずということです。現物を見て触って使ってみることは最大の情報になるのです。

サンプルの配布方法はさまざまです。例えば工業用のスポンジを製造している企業であれば、同じ大きさにカットしたスポンジを台紙に貼り付け、それを冊子のようにして顧客に配布している企業もあります。取り扱い商材のうち代表的なものをまとめ、配布用のキットとして用意している企業も多いです。

私のサイトでは、各用紙の販売ページで、数量を選ぶ部分から「サンプル」を選べるようにしています。サンプルの価格は0円で、会員登録をしなくても選ばれた用紙を20枚届ける仕組みになっています。なぜ20枚も届けるのかというと、顧客が使っているプリンターで印刷してみてもらうなど、実際に使って試してもらうためです。

少量の購入ならば思ったとおりの商品でなくても、金銭的な負担はそこまで大きくなりません。しかし大量購入になれば、支払う金額も当然大きくなるため、失敗は許されなくなります。購入前の検討がより慎重になるため、最大の情報源であるサンプルを確認したくなるのは自然なことといえます。

商品ページでサンプルを送る方法

私のサイトでは、取り扱っているすべての商品をサンプルとして無料で配布しています。サンプルの請求方法は非常に簡単で、商品を購入するのと同じように、数量の選択ボックスで「サンプル」にチェックを入れるだけです。

価格：　350円（税込　385円）

※サンプルは4種類までとさせて頂いております。

※枚数をお選び下さい

	選択
サンプル　0円	●
100枚　350円　1枚あたり 3.50円 (税込385円)	○
500枚　940円　1枚あたり 1.88円 (税込1,034円)	○
1,000枚　1,840円　1枚あたり 1.84円 (税込2,024円)	○
2,500枚　4,550円　1枚あたり 1.82円 (税込5,005円)	○
5,000枚　8,800円　1枚あたり 1.76円 (税込9,680円)	○
8,000枚　13,840円　1枚あたり 1.73円 (税込15,224円)	○
10,000枚　16,800円　1枚あたり 1.68円 (税込18,480円)	○
15,000枚　24,600円　1枚あたり 1.64円 (税込27,060円)	○
20,000枚　31,800円　1枚あたり 1.59円 (税込34,980円)	○
30,000枚　46,800円　1枚あたり 1.56円 (税込51,480円)	○

顧客にとって会員登録は面倒なものです。しかも、サンプルを請求したものの、思っていたような商品ではなく購入につな

がらなかった場合、その会員登録は無駄になってしまいます。
私がこのような配布方法を選んだ理由は次のとおりです。

- 顧客が商品ページからそのまま請求できる
- わざわざお問い合わせフォームなどに記入する必要がない
- 商品ページからの請求なので検討している商品と違うサンプルを請求してしまうなどのミスがない
- サンプルセットでは顧客が欲しい商品のサンプルが提供できるとは限らないため、効果が薄い

手続きの面倒さや、サイトの使いにくさは顧客の足を遠のかせてしまいます。できるだけ簡単にサンプルを配布できるようにしようと考え、たどり着いたのがこの方法でした。

また実際に自分が何か知りたいことがあって資料請求をする場合でもそうなのですが、サンプルを要求したり、資料をもらうために商品のサイトからいったん離れて問い合わせフォームに自分で文章を記入したりするのは、意外と煩わしいものです。特に最近の若い従業員は、メールや電話を個別に送るのを苦手とするタイプも多く、顧客に自分の言葉で「サンプルをください」と要求させるのは、顧客の負担になりやすいです。ですから私が管理しているサイトのように、チェックボックスをチェックするだけでサンプルが入手できるようにするのは、顧客の行動を後押しできる仕組みになっているのです。

また資料やサンプルを請求するために、商品ページとは異な

るページに誘導するのは、顧客のミスを誘発します。サンプルが欲しいと思っていた商品とは別の商品の商品コードや商品名を記入してしまったり、顧客が入力した文字列が間違っていて情報が正しく伝わらなかったりする可能性があるからです。ですから、商品ページからそのまま、その商品のサンプルを請求できるようにしておく必要があるのです。

サンプルを送るのに適した商材、適さない商材

サンプルは用意すべきですが、それでもやはり商材によってはサンプルが送りやすい商材と送りにくい商材に分かれます。サンプルを送るのが難しい商材の特徴は輸送がしにくい商材や一品一様の商材、非常に高額な商材などが挙げられます。

例えば非常に大きな商材や、特別な輸送や保管が必要な商材など、輸送しにくい商材は簡単にサンプルを発送できません。またオンデマンド印刷の冊子のように一品一様の要素が強い商材も、分かりやすいサンプルを用意しにくくなります。このような商材の場合には、私のサイトのようにサンプル請求する形式は合いません。さらに高額商品も、サンプルを提供するには資金が必要になります。加えてそれを安全に輸送する手段を考慮しなければならないため、発送には向きません。

逆にいえば上記に該当しない商材は、サンプルが用意しやすい商材といえます。特に封筒などで簡単に郵送でき、汎用性の高い商材は、手軽にサンプル発送が行えます。

実はサンプルの発送に向かない商材は、それほど多くはあり

ません。そもそもサンプルの発送に向かない商材は、ECでは扱いにくいケースのほうが多いです。ECで売るということは、商材を輸送することが前提ですし、高額なものはあまりECでは取引されず、商社を通したり、直接取引をしたりするケースが多くなります。ですから「ECサイトで売ったら売れるかもしれない」と考えている商材であるという時点で、ほとんどがサンプルの発送が難しくはないのです。

輸送しにくい商材の場合

サンプルを用意しにくい場合は、その理由によって対策が変わります。輸送しにくい商材の場合には、輸送しなくても商材の特徴を伝えられる工夫をしたり、商材を見ることができる場所を用意したりすることが求められます。

例えば動画で商品が動いていたり使われていたりする様子を紹介する方法もあります。可能ならば、自社の中にスペースを設けて、商品を見学できるようにしておくのも有効です。

私が見聞きしたある企業は、工場で使う機器をECサイトで売っています。据え置きで使用する機器なため、サンプルを発送することはもちろんできません。そこで機器を使用している顧客のなかから、各地方に数件ずつ、機器を使っている工場を見せてくれる顧客をつくりました。ECサイトを通じて「稼働している機器を実際に見たい」という問い合わせがあった際には、問い合わせをくれた会社から近い顧客を紹介し、工場の中で実際に機器が稼働しているのを見せてもらえる仕組みをつくっています。

続いて一品一様の商材の場合には、完成品に見立てたサンプルを用意したり、加工のパターンごとのサンプルを用意したりするのも有効です。紙に箔押しやラミネートなどの加工をしている企業では、顧客がよく注文する用紙に対し、複数種類の箔押しやラミネートを施したものをサンプルとして配布しています。１枚の紙に複数の加工が行われており、かつ複数種類の紙に対して同じ加工をしたものを送ってくれるため、顧客は、自分が依頼したい加工に対し、より現実的なイメージを持てるようになります。

ほかには加工前の材料を送る方法もあります。サンプルが送りにくい場合でも、あきらめずに、どうしたら顧客に現物に近い情報を届けられるか考える必要があります。

私は、サンプル提供はB to BのECの成功における最も重要な施策であり、用紙Laboが大きくなった最も大きな要因だとあると考えています。そのためどんな商材であっても現物サンプルの提供、あるいは可能な限りそれに近いものを提供できるよう知恵を絞るべきだと考えます。

Chapter 4

データ解析で
運用と改善を繰り返す
PDCAを回して
売れるECサイトに育て上げる

31 大事なのは１カ月後と３カ月後

ECサイトオープン後について

ECサイトはオープンしてからが本格的なスタートです。

実際の取引をメインに、ECサイトは細々と運営していくのも悪くはありません。一方で、今後大きく成長させるのを目標にするのも夢があります。とはいえ、サイトを細々と存続させていくにしろ、大きく成長させるにしろ、ECサイトは定期的な手入れと工夫が必須です。

ECサイト開設から１カ月後までに行うべきことは、サイトを訪れる顧客の数を増やすことであり、購入に至る顧客を増やすことです。サイトの存続を目標にする場合でも、大きく成長させる場合でも、サイトオープンから１カ月程度は、それほど多くの顧客が訪れてくれるわけではありません。ですからどちらの場合であっても、まずはサイトを訪れてくれる顧客を増やすことに注力します。

この作業はECサイトの開設後１カ月は特に重点的に行います。しかしその後も継続させていくべき作業でもあります。

これに加えて、サイトオープン１カ月後までに行いたいことは、広告効果の分析です。広告効果の分析は、顧客がどのようなキーワードでサイトを訪れてくれるかを調べたり、それによって強化するキーワードが分かったりするなど、さまざまなメリットがあります。

3カ月後にはECサイトを強固にする方策を立てる

ECサイトをオープンして3カ月、およそ100日もすれば、サイトの今後の傾向がうっすらと見えてきます。また実際に運営をしてみて、社内の人的リソースや、売上などの様子から、今後もECサイト事業に力を入れていくべきかどうかも見えてくるはずです。

そのうえで、今後もさらにECサイトを成長させていきたいと考えるならば、ECサイトを強固なものにしていく施策が必要です。

ECサイトを強固にするための施策を行うタイミングは、なぜ3カ月後がいいかというと、オープンからおよそ100日、四半期が過ぎることで、ある程度の顧客データや実績が集まるからです。サイトのオープン直後は、訪れる顧客も少ないため、顧客の行動や興味を予測しながら動かなければいけません。しかし実際に顧客が訪れ、そのデータを分析することで、サイトを強固にしていく道筋が見えてきます。

サイトを改善したくても、顧客の動向や売上、売れる商品の傾向など実際の動きを見なければ改善点は見つかりません。一方でオープンから3カ月程度であれば、まだ顧客から見たサイトのイメージも固まりきっておらず、何か課題が残されていた場合には、大規模な改修も行いやすいタイミングなのです。

ECサイトが成功して顧客も増え、さらにサイトとしてのブランディングも固まってしまうと、大きな修正は下手をすればイメージが変わって客離れにもつながりかねず、手がつけにくくなってしまいます。

ですから、ECサイトを強固なものにしていく方策はサイトオープンから3カ月頃を目安に行います。

商材にもよりますが、3カ月ほど経つとリピーターが現れます。新規の顧客を獲得し続けていく施策より、リピーターを確保するほうが施策的にもコスト的にも有利です。

リピーターを獲得するうえで重要なポイントは6つあります。

1. 優れた商品やサービスを提供すること
2. ECサイトが使いやすいこと
3. 顧客サポートがしっかりしていること
4. 顧客満足度が高いこと
5. 特典が用意されていること
6. 顧客の分析と調査

これら6つのうち、商材だけに関わるものはたった1つだけです。つまり、リピーターの獲得はほとんどが運営側の取り組み方次第というわけです。

この中でも特に重要なのが顧客のサポート体制と顧客の分析調査です。

商品購入後のサポートや問い合わせへの対応はとにかく迅速でなければいけません。丁寧ながらもスピード感あるやり取りは相手に安心感を与え、顧客満足度を高めます。自動応答メールやチャットボットなどを利用して、24時間対応可能な状態にできるツールを導入することも効果的です。

質問などの商品に関する問い合わせには専門知識が必要な場合があります。適切な回答をするためには窓口担当のトレーニングや情報共有が不可欠です。よくある質問をまとめて全員で共有しておいたり、知識のある人間へのスムーズなエスカレーションの手順をマニュアル化したりするなどの事前準備もしておきます。

また、サポートでの顧客とのやり取りもすべて保存しておくことが大切です。サポートを通じて入ってくる顧客の声は商品やサービスの改善に役立つ情報の宝庫です。顧客の個人情報の取り扱いには注意しながら、そのニーズや要求に応えることによって、信頼関係を構築していきます。

ECサイトのデータで顧客分析

顧客の分析にはECサイトにたまっていくデータを活用します。まずは購入履歴です。makeshopでは以下の手順で確認できます。まずはショップ会員の場合です。以下画面の『検索条件項目』より「会員ID」を入力すると、注文日時の範囲に制限なく検索が可能です。

管理画面：注文管理 / 注文一覧

非会員の場合は少し手順が異なります。

管理画面：検索条件を指定し、過去の注文を検索することができます。

以下の制限があります。

・注文者名、受取人名、電話番号、メールアドレス、注文金額、メモ、商品名、出荷予定日

配送希望日での検索：注文日時を6カ月以内で指定し、検索

・注文内容のCSV出力：注文日時を2年（731日）以内で期間指定し、検索後にダウンロード

購入履歴から、当該顧客がリピーターかどうかも判断できます。以前購入履歴がある「メールアドレス」で注文した方の注文には【注文検索/一括処理】一覧表の「フラグ」列に矢印マークの「リピーター」アイコン（リピーターフラグ）が表示されます（旧管理画面のみ）。1回しか購入していないメールアドレスには上記フラグが表示されません。

管理画面では「2年以内で期間指定」し、検索後にダウンロードできます。

以下の画面でダウンロード用のテンプレートを作成できます。

管理画面：注文管理 / 機能・設定 / CSVフォーマット / 注文出力用テンプレートの設定

『初期値』：「一注文一行表示」を選択し、「リピーターフラグ」など任意の項目を追加後、保存してください（一部同時利用できない項目は、保存時にアラートが表示されます）。

管理画面では「2年以内で期間指定」し、検索後にダウンロードできます。

以下の画面でダウンロード用のテンプレートを作成できます。

管理画面：注文管理 / 機能・設定 / CSVフォーマット / 注文出力用テンプレートの設定

『初期値』：「一注文一行表示」を選択し、「リピーターフラグ」など任意の項目を追加後、保存してください（一部同時利用できない項目は、保存時にアラートが表示されます）。

テンプレート設定後、

管理画面：注文管理 / 注文一覧「CSVダウンロード」

各画面から以下を選択し、出力

CSV形式：普通用
出力するテンプレートを選択：上記テンプレート

非会員注文は、CSVの「会員ID（旧注文番号）」欄に「X******」のような、Xから始まるIDと6桁の数字が表示されます。

テンプレート設定後、

管理画面：注文管理 / 注文一覧「CSVダウンロード」

から以下を選択し、出力します。

CSV形式：普通用
出力するテンプレートを選択：上記テンプレート

非会員注文は、CSVの「会員ID（旧注文番号）」欄に「X******」のような、Xから始まるIDと6桁の数字が表示されます。

ちなみに有償にはなりますが、makeshopと連動するMakeRepeaterを利用する方法も非常に便利です。ショップ購入者の注文履歴、購入回数をはじめ、売上分析画面を簡単に確認できるからです。顧客情報のCSVでのダウンロードももちろん可能ですし、テンプレートによるHTMLメールの自動配信や、開封率・コンバージョン率の確認など、さまざまな切り口でリピーター対策を行えます。

忘れてはいけない商標登録

商標とは、自社が提供する商品やサービスを、他社と区別するために使用する名前のことです。例えばGoogleという名前はGoogle社のものですので、私が新しく会社をつくることになったとしても、その会社にGoogleと名付けることはできません。逆の見方をすれば、名前を独占する権利ともいえます。

ECサイトをつくる際、最初にサイトの名前を決めることが必要で、その際、すでに他社が使っている名前は避ける必要があることに触れました。同じように自社のECサイトの名前が他社に使われたら困ります。

また、もしも自分が商標登録をしていない状態で、他社がその名前を商標登録してしまったら、その名前は他社のものになってしまいます。人気や認知度が高くなればなるほど、その名前を利用したいと思う人が出てくるものです。そのブランドにあやかって商売をすれば、大きな苦労をせずもうけが見込めるからです。自社のサイトが人気サイトに育つ可能性は十分あり、将来のために商標登録はしておくことが無難です。もしも商標登録を行わず、ほかの人がその商標を登録してしまった場合、相手から商標権を盾に裁判を起こされる可能性もあります。結果によってはこちらが先に使用していたのに改名を余儀なくされてしまったり、賠償を求められたりしてしまうこともあるのです。

そのような事態を防ぐためにも、サイトの運営が軌道に乗りはじめたら、早めに商標登録を済ませておく必要があります。

商標登録は出願書類に必要事項を記入して特許庁に提出するだけでなく、インターネットからも出願が可能です。もしも難しそうだと感じるならば、弁理士に依頼する方法もあります。また商標が登録できると認められ、正式に登録を行う際には登録料が発生します。1件につき、5年分であれば17,200円、10年分であれば32,900円です。納付期限までに入金を行わないと正式な登録ができなくなるため、忘れずに入金する必要があります。

32 PDCAで課題を検証

ECサイトを育てるうえで重要なPDCAとは

PDCAとは、目標を達成するために継続的な改善を行う手法です。行動を次の4段階に分け、それを繰り返します。

P（PLAN）：計画

売上や取引数、訪問者数などの具体的な目標を立て、それを達成するための計画を立てる。

D（DO）：行動

計画を実行する。

C（CHECK）：評価

計画どおりに行動できたか、それによって目標を達成できたかを確認する。

A（ACT）：改善

評価の際に見つかった課題を改善するためにPへ戻る。

PDCAはもともと自動車業界で始まった手法ですが、マネジメントへの応用性が高く、ISO（国際標準化機構）にも取り入れられるなど効果が高く評価されている方法です。

ECサイトの運営においても、売上や取引数などの目標に、広告やサイト内の動線、情報の配置などの改善を繰り返していくことになります。

例えば次月のサイト訪問者の数を、前月の1.2倍に増やす目標を立てたとします。それに対し、リスティング広告で指定するキーワードを増やすとか、キャンペーンを行うなどの具体的な行動目標をつくります。これがPLANに該当します。

続いて計画したように、リスティング広告のキーワードを増やしたり、キャンペーンを実施したりします。これはDOです。

月の終わりになったら、目標どおりに訪問者の数が1.2倍になったかどうかを確認し、達成していれば、とった行動のうち何が良かったのかを分析します。またもしも目標を達成できなかったならば、何が原因だったのかを確認します。例えば災害や天候不順などの影響を受ける顧客が多く、一時的に活動が滞ったのかもしれません。このような場合には、あまり問題はないと考えられます。逆にリスティング広告で指定したキーワードが的確でなかったのが原因だった場合には、問題があるという判断になります。このような行動がCHECKです。

そして最後がACTです。CHECKの際に、リスティング広告で指定したキーワードが的確でなかったと分かったならば、どのようなキーワードならば的確かを調べ、そのキーワードで広告を出す計画を立てます。

このようにPDCAサイクルを回しながら、サイトをより良くしていくのです。

広告分析で見ておきたい指標

リスティング広告の効果を見るためには、まずいくつかの指標と、その意味を理解しておかなければいけません。リスティング広告の分析で使う指標は次のとおりです。

・表示回数（インプレッション数）：指定キーワードの検索結果における広告表示回数
・クリック数：表示広告のクリックされた回数
・クリック率（CTR）：広告表示からクリックされた確率
・コンバージョン（CV）：訪問から購入などに至った数
・コンバージョン率（CVR）：訪問から購入に至った確率

これらの内容と分析の仕方と、それをもとにしたサイトの改善について順番に解説していきます。

まずは表示回数です。これはリスティング広告においては、指定したキーワードが検索された回数と考えてもいいでしょう。表示回数が少ない場合には、サイトで利用しているキーワードが適切でない可能性があります。表示回数を十分に得られないキーワードしかない場合には、サイトのカテゴリー設計や商品名を見直し、表示回数を上げる工夫が必要です。また、表示回数はキーワードのほかに、広告順位（オークションや広告ランクによる）によっても変わります。表示回数が少ないということは設定しているクリック単価が低い、あるいは広告ランクが低いことが考えられます。

一方で、十分に表示回数を得られるキーワードがあるかたわら、表示回数を得られないキーワードがある場合には、広告に指定するキーワードを絞り込む方法もあります。表示回数を得られないキーワードの広告を取り下げてしまってもいいかもしれません。

クリック数とは、表示された広告がクリックされた回数です。広告からサイトに訪れてくれた人の数と考えることができます。

クリック率は広告の表示からクリックに至った確率を表すもので、クリック数を表示回数で割ったものです。クリック率の目安は、サイトの内容によっても多少異なりますが、B to B向けの製造業のECサイトの場合おおむね1.5%程度だと考えられます。クリック率がこれよりも著しく低い場合には、リスティング広告として表示される文字列を見直す必要があります。リスティング広告で表示されるのは、サイトのタイトルや広告文で、次のように表示されます。

これらの項目はサイトの広告の設定で入力できますので、訪

問客に興味をもってもらえる内容を入力する必要があります。

ECサイトにおいて、クリック率を上げる広告文を書くコツは、次の3つです。

・文字数を70〜120文字程度にする
・ECサイトで買える商材を具体的かつ簡潔に伝える
・ECサイトであることを伝える
・キーワードを含める

広告文の文字数には制限があり、表示されるのは、入力した文字列のうち、最初から100文字程度です。ですからその中に、顧客が必要とする情報を詰め込む必要があります。広告文を最適化するのは、クリック率を上げるだけでなく、その後のコンバージョン率の向上にもつながります。

コンバージョンとは、サイトを訪れた人のうち購入など次のアクションに移った人の数を意味します。ECサイトでは、サンプル請求や購入に至った数になります。

コンバージョン率とは、コンバージョンの数をクリック数で割ったものになります。コンバージョン率は、サイトを訪れた人のうちどれくらいの人が購入や資料請求をしてくれたかの割合を示します。コンバージョン率の目安は、一般的なECサイトの場合、2〜3％程度だといわれています。つまりコンバージョン率が低い場合、サイトには人が入ってきているものの、購入には至らないことが多いことを意味します。コンバージョン率が低い場合、興味をもってサイトには訪れているものの、表示された商品が目的のものでなかったり、商品を購入する決心がつかなかったりする人が多いことを意味しています。B to B向けのECサイトにおいては、購入を判断する人が承認しなかったと考えることもできます。コンバージョン率を高めていくには、商品の魅力を伝える情報をより充実させたり、情報を見やすくしたりといった対策を考える必要があります。

広告を出すことで、このように広告効果を分析することが可能になります。そして効果を分析することで、サイトの改善点も見えてきます。着実に顧客を増やしていくために、広告効果分析とサイトの改善は、オープン1カ月を過ぎても定期的に行っていくことが望ましいといえます。

33 データ解析を使って SEO順位などを確認する

SEOの順位はサイトの成績表

ECサイトを整え、広告効果分析を行いながらサイトを改良していれば、公開から3カ月経った頃には、広告なしでもある程度のSEO順位が獲得できているはずです。

SEOの順位を確認する際には、まずはサイトのメインキーワードで普段どおりに検索します。すると上部には、リスティング広告を意味する「スポンサー」の表示のついたサイトが表示されます。SEOの順位を確認するためには、その下のスポンサー表示がないリンクを確認します。

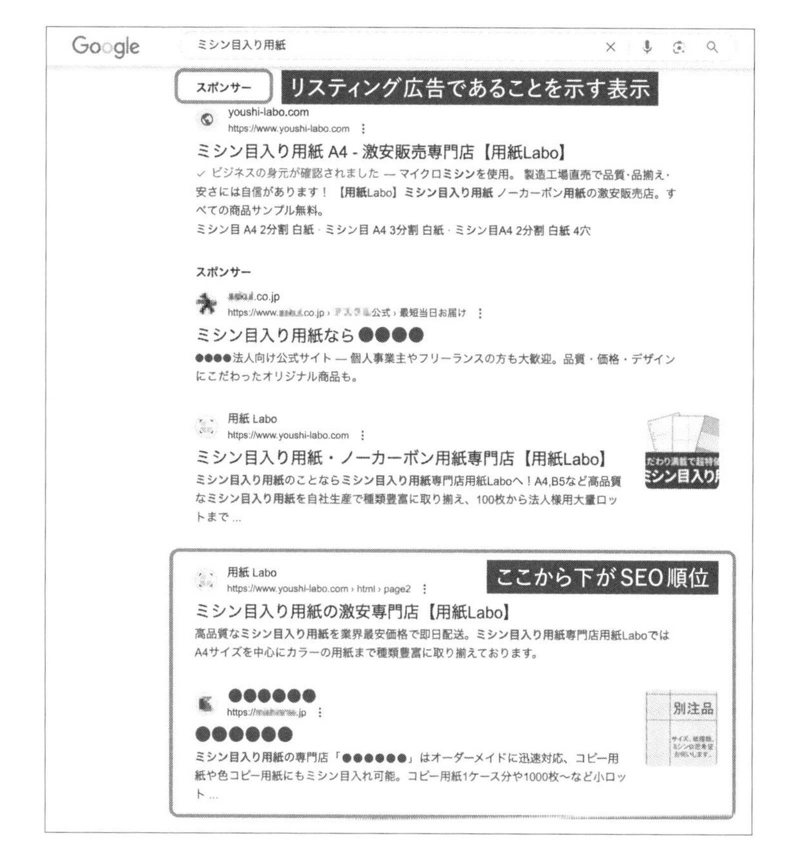

スポンサー表示のないリンクのなかで、自社のECサイトが何番目に表示されるかを見てみます。

SEOの順位を確認するもう一つの方法は、Googleサーチコンソールを使って検索する方法です。Googleサーチコンソールとは Google検索におけるホームページの掲載順位を監視するツールで、Googleアカウントがあれば利用できるサービスです。継続的に監視をしたい場合には、こちらも便利です。

通常どおりに検索を行い、その結果を使ってSEO順位を確認する場合、自身が以前に見たサイトの順位のほうが少し高く表示されるなど、多少の誤差を含みます。そのためGoogleサーチコンソールのほうが正確な順位を知ることができます。

またGoogleサーチコンソールならば、掲載順位だけでなく表示回数やクリック数も知ることができます。さらに訪問客がサイトを見たときに、表示速度の遅いページも知ることができます。サイトを構成しているソースコードにエラーがあると、読み込みが遅くなるのです。Googleサーチコンソールを使うことで、これらにミスがあった際にも発見することができます。

SEO順位の目標は20位以内

サイトのメインキーワードで検索した際、SEO掲載順位が20位以内に入っていれば、問題ないと考えていいと思います。

Google検索の場合、検索結果のデフォルトの表示数は10件になっています。つまり10位以内にあれば、検索した際の最初のページに表示されます。20位以内であれば、次のページには表示されることになるため、今後も訪問客の流入を見込める位置にいる状態です。

一方で20位以内に入れていない場合には、訪問客の流入が見込みにくい状態といえます。つまりできるだけ早くサイトを見直す必要があります。

ページタイトルや見出しなどにキーワードを使用することにはじまり、ページ内の情報の質と量が十分か、ほかのページからのリンクは貼られているかなどをチェックし、上位に上がる工夫をしなければいけません。メインキーワードで上位に出てきたサイトと自分のECサイトを見比べてみると、改善点が見つかるかもしれません。特に見直したいのは次の項目です。

- ページタイトルや見出しなどにキーワードが使われているか
- メタディスクリプション（商品の内容などを要約した文章）やページタイトルなど、ASPカートシステムで記載を求められている入力項目がすべて記入されているか
- 商品ページに掲載されている文字の量は十分か
- 商品ページ内に、ほかの商品ページへのリンクが十分にすべて貼られているか

もしもこれらの対策が、すでにある程度行われているのであれば、競合サイトのSEO対策が非常によく行われていたり、競合サイトがもつページの量が非常に多かったりするなどの理由が考えられます。出品する商品数を増やしてECサイト内にリンクを増やしたり、商品の説明や使用方法、注意事項などを

追記することでテキストの量を増やしたりしてみるのも効果的です。

サイトをより良くするための満足度分析

サイトをさらに改善していくためには、顧客が感じていることを知る必要があります。そのためには、顧客の満足度を分析しなければいけません。

顧客の満足度を測るといっても、別に直接おうかがいを立てる必要はありません。なぜなら顧客の満足度は、購入へのリピート率に表れるからです。

リピート率とは、初回購入者のうち2回目の購入に至った割合を示すものです。業種や商材によって差はありますが、EC業界全体での平均リピート率は30～40％といわれています。ですから、その程度が達成できていれば、顧客はおおむね満足していると考えられます。逆に25％を下回る場合には、商品の満足度が低いなど、何か問題があるかもしれません。

リピート率は、ある程度継続してチェックする必要があります。リピート率をチェックする際、特に注意が必要なのは、リピート率が急に下がったときです。何かの理由で単発の発注が急に増え、それが終わっただけならばさほど問題はありません。しかし特に発注に変動がない場合には、商品の品質や受発注の対応など、何か変わったことがないか確認し、早めに対策を行いましょう。

もしかするとライバルとなるECサイトが現れて、シェアを奪われている可能性もあります。そのような場合でも慌てず、自社サイトを育てていくことで、競合サイトとともに成長していけるはずです。

また、初期目標として、検索結果20位以内を目指しましょう。3カ月程度で達成したいところです。3カ月後からは10位以内を目指します。そして、競合サイトのほうが強いキーワードの場合は、コンテンツマーケティングも検討したほうがよいです。特に上位サイトに記事コンテンツが多い場合は、記事コンテンツで勝負しないと苦しいと考えます。

レビュー分析と問い合わせ分析

顧客のレビューや問い合わせも重要な情報源です。レビューには利用して良かったポイントも書かれていますし、不満だった点がマイルドな言葉で表現されている場合もあります。

褒められているポイントは、ECサイトの魅力でもあります。今後も大切に伸ばしていくようにしたいところです。

一方で不満な点は、その内容をよく確認します。例えば「形の違う商品が欲しかったのに見つからなかった」などのように、サイトの使いにくさなどを訴えられている場合には、改善が可能かもしれません。

逆に「注文した商品に汚れがあった」「記載されていた納期よりも遅れて商品が届いた」など、明らかにこちらに非がありそうな事項については、早めに改善する必要があります。

とはいえすべての不満に対応と改善を行う必要はありませ

ん。例えば「梱包に使われている緩衝材が少なくて不安だった」のような場合には、状況に合わせて注意書きを加え、顧客の満足度をコントロールすれば解決する場合もあるからです。

一方で顧客からの問い合わせは、ニーズの宝庫です。

「○○な商品はないか？」という問い合わせが多かった場合でも「○○な商品」がすでにECサイトに出品されているならば、商品が見つけにくいということです。カテゴリー名や商品名などを工夫し、見つけやすくします。

逆に「○○な商品」がない場合には、そういう商品が求められているということです。新たに商品として加えてもいいかもしれませんし、オーダーメイドを案内しつつそれを利用することで「○○な商品」がつくれることをアピールすればいいのです。

ほかにも、企業情報や返品ルールなど、本来ならば記載されているはずの内容についての問い合わせが多いならば、サイトのリンクや記載を見直すチャンスです。必要な情報が顧客から見て探しにくい可能性もあります。あるいは記載はされているけれど、書き方があまりよくなく、要点が伝わりにくい場合もあります。どちらの場合でも、問い合わせの内容に対し「書いてあるのに尋ねてこないでくれ」と切り捨てるのではなく、サイトを改善して問い合わせを減らせないかという視点で考えたいものです。

34 Googleアナリティクスの活用法

Googleアナリティクスとは何か

Googleアナリティクスとは、自身が管理するサイトへのアクセス解析が行えるツールです。Googleアカウントを持っていれば無料で使用できます。

Googleアナリティクスでは、サイトが表示された回数や人気のページ、顧客がどのような検索キーワードでサイトを訪れているかなどが分かります。

Googleアナリティクスでサイトを分析するためには、まず利用登録を行います。その後、次ページから分析したいページのURLを入力します。

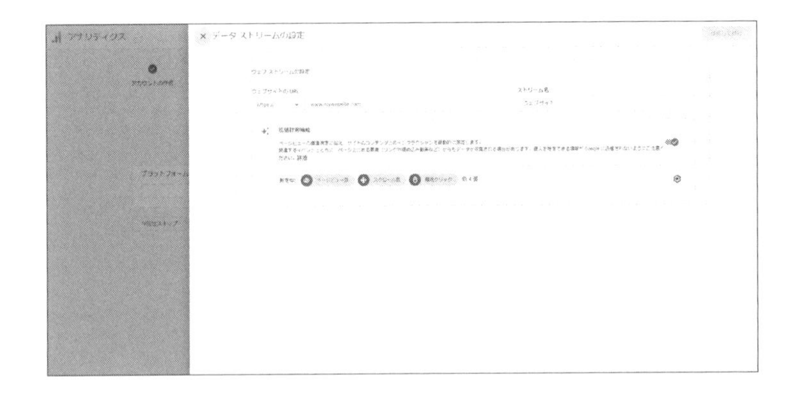

サイトを分析するためには、対象のURLを入力するだけではなく、分析されるサイトからも、Googleアナリティクスに対して、情報を取得する許可を出さなければいけません。それがトラッキングIDです。

右図のGoogleアナリティクスの管理画面では、トラッキングIDが発行できます。

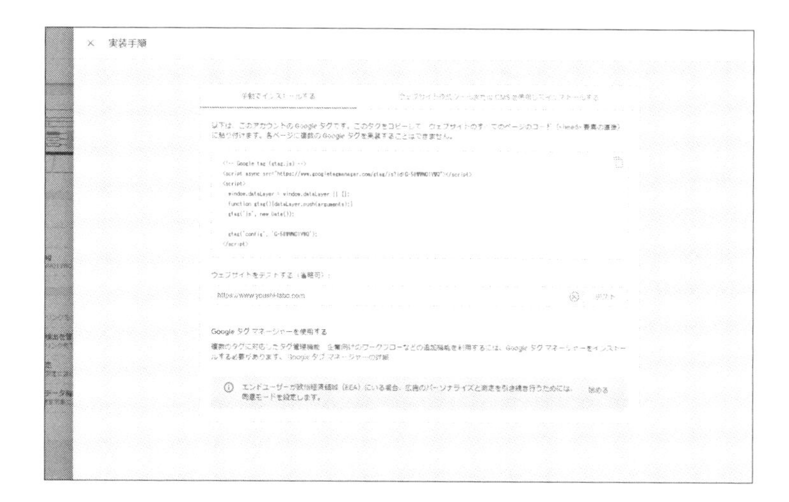

トラッキングIDが発行されたら、次はこれをECサイトに埋め込む必要があります。makeshopでトラッキングIDを埋め込むのは、次ページの場所から行えます。

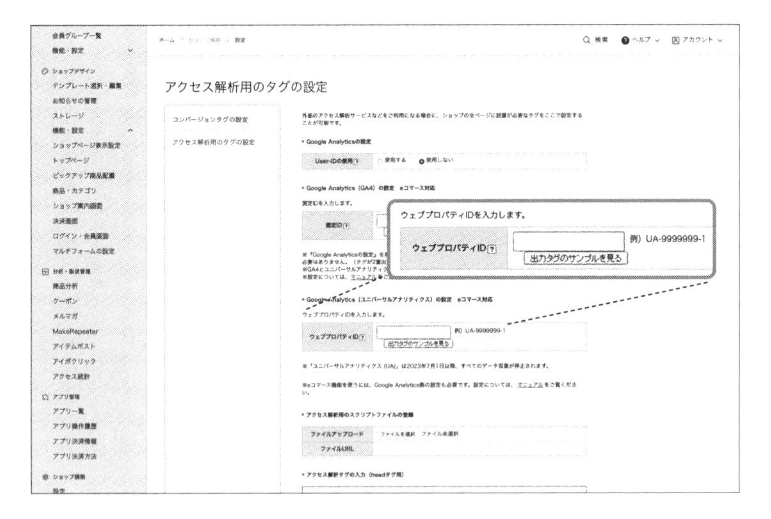

これでGoogleアナリティクスはECサイトのアクセス解析ができるようになります。顧客が訪れる時間帯や曜日、検索に使うキーワード、コンバージョン率や滞在時間などのデータを取得し、サイトの改善に活かすべきです。

Googleアナリティクスで得られる情報は、サイトを改善していくためには欠かせない情報です。ECサイトは公開するのがゴールではありません。顧客を呼び込み、定期的なメンテナンスや改善を行っていくことでEC事業として成長していけるのです。せっかく構築したECサイトを最大限に活用するためにも、Googleアナリティクスによるサイトの分析を行うことは大切です。

おわりに

中小企業の休廃業件数は、年間4万社にも上るといわれています。休廃業の理由としては、業績の悪化や後継者不足などが多く挙げられており、中小企業を取り巻く厳しい現状を表しています。中小製造業も例外ではなく、取引先からのコストカット要求や人材難など、さまざまな課題を抱えています。

また近年では、従業員の働き方改革や最低賃金の引き上げなどの社会的な動きもあり、中小企業であってもその流れに逆らうことはできません。しかしこれらの動きに対応していくためには、より多くの利益を生み出す施策が必要です。

本書では、中小製造業がおかれたこのような現状を踏まえ、新しい事業としてECをスタートさせ、利益を生む方法を提案してきました。

ECであれば、比較的少ない元手で、気軽に始めることができます。さらにたとえ少額からでも、入金までのスパンが短い取引が発生することにより、会社の資金繰りに大きな助けになるという特徴もあります。また、本書で紹介しているECの手法では、普段取り扱っている商材をそのまま出品することを勧めています。そのため「付加価値の高い魅力ある製品」を新たに開発する必要もありません。

とはいえ、無策でECをはじめてみても、目覚ましい効果を上げるのは難しいです。そこで本書では、売れる商材の見極め方や、B to Bの製造業ならではの「売れる」ECサイトのつくり方などを解説してきました。本書が紹介する流れに沿って作業を進めてもらえれば、B to Bで選ばれるECサイトの骨組みがおおむね出来上がっているはずです。

繰り返しになりますが、今は、何か知りたいことがあったとき誰もがネットで検索する時代です。それは個人の私的な活動だけでなく、企業のなかでも同様です。そのような時代を象徴するエピソードとして、新入社員が仕事上で分からないことがあったときも、先輩や周りの人に聞くより先にインターネットで検索することもあるという話もあります。そのような時代ですから企業でも、新しい取引先を探したり、急に必要になった品物を納品してくれる業者を探したりする際には、インターネット検索が当たり前に行われているのです。

本書で紹介しているECサイトの活用方法は、このようなときに見つけてもらい、取引をしてもらうための方法です。そのため、私たちが日常で使うことが多いB to C向けのECサイトとの違いを意識し、どのように商材を見せれば企業間での取引につながるかを丁寧に解説してきました。

中小製造業では、得意先や縁故に頼った商売をしている企業も少なくありません。積極的で野心のある営業活動を行わなくても生き残れる一方で、売上が得意先の業績や生産計画に左右されてしまうという難点もあります。しかしECサイトを活用すれば、積極的な営業を行わなくても販路を拡大しやすくなり、得意先や縁故に頼らない収入源が得られるようになります。そのため得意先からの影響を緩和させる効果も期待できるのです。

本書はインターネット販売（makeshop）での注文のみを想定していますが、B to B商材の場合、実際はインターネット以外からの注文も多いです。きっかけはインターネットからのサンプル請求ですが、注文方法はメール・FAX・電話とさまざまです。私の会社の場合、インターネット注文は金額ベースでおよそ70％です。特に大口注文はその他の方法が多いため、インターネットはきっかけと考え、メールやFAXでの注文にも備えておくべきです。特に製造業の場合、顧客側の発注書で注文したい、顧客側が運用しているシステムで発注したいというニーズも多く、これを無視するのは得策ではありません。したがって、売上管理、顧客管理はインターネット注文だけではなく、通販事業全体でとらえるべきなのです。そのためには、新たなシステムの導入や構築が必要かもしれません。

また、本書では利益を生むさまざまな方法を紹介してきました。次に、私の会社が成功したポイントをまとめます。

・サンプル戦略

ユーザーにとって最適な方法でサンプルを提供しました。サンプル提供は購入率アップだけでなく大口注文にもつながり、SEOにも効果があります。サンプル提供の際、一緒に価格表と見積もり、オーダーメイドの案内を送付しています。それをきっかけとしてオーダーメイドの問い合わせ、取引条件の相談、大ロットの見積もりを獲得し受注へつなげています（競合を比較する隙を与えない）。

・動的配信（ダイナミックサービング）でパソコン表示を優先

・商品情報や関連情報をできるだけ小さい領域で分かりやすく見せ、目的の商品が探しやすいサイト設計

・疑似ショーケース戦略による専門性の担保

・後払いの銀行振込

後払いによる銀行振込の未回収率は0.02％（5億円のうち10万円）、決済手数料は3～4％程度が一般的です。商品到着後に請求書で支払いできることは、多くの企業にとって利便性が高いです。また、手数料が0.02％で、回収期間も商品到着後1～2週間と短いため、ユーザーと自社にとってWin-Winの取引条件です。ただし、未入金への督促や入金管理、与信などの手間が発生します。そのため、後払いによる銀行振込は、一定の水準を満たす顧客のみとするなど工夫するとよいです。またデメリットとして、商材によって高額商品は導入しにくいことが挙げられます。

・安く見せる商品設計

製造原価や負担送料などを加味したうえで、販売単価が最も得になるラインで販売ロットを設定しています。価格競争力がある商品については、あえて競合とロットを合わせることで優位性を演出しています。また、小ロットの低価格帯商品を準備しています。

・レビュークーポン

レビューを書いてくれたら5％割引クーポンを進呈する案内を商品に同梱しています。レビューがあることで購入を後押しし、にぎわいを演出し、SEOでも優遇されます。このように、この施策は5％の費用などまったく気にならないほど十分な効果が見込めます。

古くから続いてきた中小製造業も、近年では経営者が交代したり、古い企業が廃業したりして新しい企業が参入してくるなど、新陳代謝が進んでいます。人々の価値観も変化していることから、企業間の取引における縁故も薄れる時代になっています。同業者や取引先からの口利きでなければ商売できないようなケースは減ってきています。

新たな情報の場としてインターネットに力が傾いていく一方、特に中小企業においては、人材不足などの問題からECサイトの活用に乗り出す企業はさほど多くありません。そんな時代だからこそ、今がECサイトの始め時なのだと考えます。

本書は、B to Bの中小製造業でのECサイト活用法について述べてきました。読者の皆様にとって本書が、ECサイトの有用性を知り、挑戦のための第一歩を踏み出すきっかけになれば幸いです。そしてまた本書の読者が、ECサイトを活用してさらに業績を伸ばしていかれることを願っています。

酒井雅志（さかい まさし）
1977年生まれ。2003年3月 慶應義塾大学 商学部 卒業。大学卒業後、学習塾「慶應Y's進学舎」を起業。最大80人以上の生徒が在籍、1年で月100万円の売上を達成。2013年に母親が経営していた印刷会社のあとを継いで社長に就任。債務超過で会社存続の危機に陥ったのを機に、印刷会社からの脱却を目指す。2015年にインターネット販売専門サイト「用紙Labo」を立ち上げミシン目入り用紙や伝票の全国オンライン販売を開始。2019年、株式会社セントラルビジネスフォームの全株式を取得し子会社化（2020年吸収合併）。5年で年間5億円規模のECサイトに育て上げ、会社の年商規模を10倍以上に成長させた。

本書についての
ご意見・ご感想はコチラ

費用ゼロではじめる
中小製造業のための
Web販売完全読本

2024年7月30日　第1刷発行

著　者　　酒井雅志
発行人　　久保田貴幸

発行元　　株式会社 幻冬舎メディアコンサルティング
〒151-0051　東京都渋谷区千駄ヶ谷4-9-7
電話　03-5411-6440（編集）

発売元　　株式会社 幻冬舎
〒151-0051　東京都渋谷区千駄ヶ谷4-9-7
電話　03-5411-6222（営業）

印刷・製本　中央精版印刷株式会社
装　丁　　秋庭祐貴

検印廃止

Printed in Japan
ISBN 978-4-344-94785-6 C0034
幻冬舎メディアコンサルティングＨＰ
https://www.gentosha-mc.com/